Strade blu

NON FICTION

Regalo di Patrizia
Bellissimo libro
Grazie !
12/2016

Concita De Gregorio

MALAMORE

Esercizi di resistenza al dolore

MONDADORI

Della stessa autrice
nella collezione Strade blu
Una madre lo sa

«Malamore»
di Concita De Gregorio
Collezione Strade blu

ISBN 978-88-04-58365-3

Indice

Malamore

Introduzione

Le donne provano la temperatura del ferro da stiro toccandolo. Brucia ma non si bruciano. Respirano forte quando l'ostetrica dice «non urli, non è mica la prima». Imparano a cantare piangendo, a suonare con un braccio che pesa come un macigno per la malattia, a sciare con le ossa rotte. Portano i figli in braccio per giorni in certe traversate del deserto, dei mari sui barconi, della città a piedi su e giù per gli autobus. Le donne hanno più confidenza col dolore. Del corpo, dell'anima. È un compagno di vita, è un nemico tanto familiare da esser quasi amico, è una cosa che c'è e non c'è molto da discutere. Ci si vive, è normale. Strillare disperde le energie, lamentarsi non serve. Trasformarlo, invece: ecco cosa serve. Trasformare il dolore in forza. Ignorarlo, domarlo, metterlo da qualche parte perché lasci fiorire qualcosa. È una lezione antica, una sapienza muta e segreta: ciascuna lo sa.

Maria Malibran, leggendario mezzosoprano, che impara a nascondere le lacrime durante le terribili lezioni di canto inflitte dal padre. Jaqueline du Pré che suona come un angelo il violoncello e sorride a ogni fitta alle ossa del braccio malato, il braccio che finirà per ucciderla. Denise Karbon che scia ingessata, Vanessa Ferrari che volteggia con una frattura al piede. La prostituta bambina che chiude gli occhi e pensa al prato della sua casa nei campi. La giovane donna che si lascia insultare e picchiare dal suo uomo perché pensa che quella sua violenza sia una debolezza: pensa di capirne le ragioni, di poterle governare, alla fine. Pensa che lui sia fragile quando strilla e quando alza le mani: si calmerà, basterà lasciargli il tempo, si placherà. La compagna del genio, la donna di Picasso che, lei sola, ne conosce e ne tollera le miserie: in questo più forte e più grande di lui. L'artista straordinaria che si lascia soggiogare in una vita ordinaria e la trasforma in poesia, la donna ordinaria che fa dei suoi giorni un capolavoro di pazienza. Le migliaia, milioni di donne che vivono ogni giorno sul crinale di un baratro e che anziché sottrarsi quando possono, quelle che possono, ci passeggiano in equilibrio: un numero da circo straordinario, questo di tentare di addomesticare la violenza – la violenza degli uomini – qualche volta andando a cercarla, persino. Perché è un antidoto, perché è un prezzo, perché non si può fare diversamente, perché il tempo che viviamo è questo e chiede uno sforzo d'ingegno per conciliare la propria autonomia con l'altrui brutale insofferenza.

Le storie che ho raccolto sono scie luminose, stelle cadenti che illuminano a volte molto da lontano una grande domanda: cosa ci induce a non respingere, anzi a convivere con la violenza? Perché sopporta chi sopporta, e come fa? Quanto è alta la posta in palio? Alcune soccombono, molte muoiono, moltissime dividono l'esistenza con una privata indicibile quotidiana penitenza. Alcune ce la fanno, qualche altra trova nell'accettazione del male le risorse per dire, per fare quel che altrimenti non avrebbe potuto. Grandissimi talenti sono sbocciati da uno sfregio. Altrettanto grandi sono stati spenti. Per mille che non hanno nome, una cambia il corso della storia. Sono, alla fine, gesti ordinari. Chiunque può capirlo misurandolo su di sé. Sono esercizi di resistenza al dolore.

«Le femmine servono ai cuccioli» dice il bambino seduto davanti alla tv, danno un documentario sugli animali. Poi ripete: «Lo sai mamma? Le femmine servono perché devono fare i cuccioli, i maschi da soli non li possono fare».
Non c'è dubbio, i maschi da soli non possono. Però le femmine non «servono» solo a fare i cuccioli, penso di rispondere. Non dico niente, invece. Ci sono cose che non si spiegano con le parole. Lo capirà, lo vedrà, lo imparerà strada facendo. Certo, bisogna sempre ricominciare da capo. A ogni generazione di nuovo. Dimostrare, convincere. A cosa servono le femmine? Sembra proprio, nelle parole di un bambino, l'origine di tutte le questioni. Non sono sicura che a fare la stessa domanda a cento adulti, uomini e donne, si otterrebbero risposte convincenti. «Servono a far più bella la vita» mi ha risposto un amico credendo di dire cosa gradita, immagino sentendosi galante. Deve essere qui il cuore di tutto. Siamo proprio certi che le femmine servano a qualcos'altro che a fare i cuccioli, a rendere piacevole l'esistenza altrui? E loro, le donne, dietro le parole e i gesti di una sicurezza ogni giorno esibita in pubblico ne sono davvero convinte in privato? Cosa sono disposte a offrire – a sopportare – in cambio della possibilità di dimostrare che no, non servono solo a fare i cuccioli né ad allietare con la loro deliziosa presenza le impegnative vite altrui? Ma soprattutto, perché in fondo sentono, anche quando non lo dicono, di doverlo dimostrare?

Vorrei poter dire che se devi uscire alle cinque per un impegno improrogabile e alle cinque meno dieci la persona con cui dividi l'esistenza ti pone una questione epocale da

cui dipende l'esito della tua giornata, della settimana e della
vita, ecco, quella è una prova di forza, una forma sottile di
violenza che si esercita nel celebre quesito: dimostrami che
cosa è più importante per te. Perché si sa che l'amore viene prima di tutto, per le donne è certamente così. Perché se
hai interessi fuori, più importante deve essere sempre, tuttavia, l'interesse dentro. Perché se un uomo può dire scusami ma ho da fare e dimenticarsi l'anniversario, la spesa,
la festa di compleanno del bambino, la consegna a domicilio, una donna no, non può farlo. O meglio: può, ma paga
un prezzo. È normale, no? È nella natura delle cose. Vorrei
poter dire che violenza è telefonare otto volte durante un
consiglio di amministrazione per chiedere in quale cassetto si trova il termometro ma non posso farlo, naturalmente, perché violenza è massacrare l'ex moglie e buttarla viva
in un cassonetto, soffocare l'amante incinta di nove mesi e
seppellirla mentre respira ancora, dare un passaggio all'ex
ragazza e farla violentare da otto amici per due giorni, picchiare la moglie davanti ai figli nel salotto coi divani bianchi e la mega tv con lo schermo al plasma, convincere che
il suicidio sia il minore dei mali, bastonare perché hai messo i jeans, far saltare i denti «perché ti avevo detto di stare a casa e non importa se dovevi andare in farmacia ti ho
detto che da sola non esci». Segregare, umiliare, costringe-
re, esercitare la forza delle mani e non solo la brutalità delle
parole. Sparare, certo. Soffocare col cuscino. Usare un corpo
e sbarazzarsene, poi addormentarsi tranquilli. Tutti fatti ac-
caduti realmente, tutti episodi di cronaca degli ultimi mesi. C è una gerarchia della violenza, è ovvio. Ci sono reati e
ci sono soprusi. C'è un'abitudine, una tolleranza della violenza che è la cosa più spaventosa di tutte. Un'accettazione della fatalità della sopraffazione che non vieta, tuttavia,
di chiedersi: ma come mai? Cosa è successo, perché è pos-

sibile? Come mai chi muore non si ribella un anno, un mese, dieci giorni prima di morire? Si muore anche restando
in vita, ciascuno lo sa, e la domanda resta intatta.

Questo non è un libro sulla «violenza domestica», sulla
violenza esercitata dagli uomini sulle donne nell'intimità
delle case e delle vite. È piuttosto una raccolta di storie che
gira intorno a un'altra domanda, speculare e opposta: come
mai oggi, nell'Italia delle ragazze calabresi che a scuola sono
le più brave in Europa, delle figlie delle rivoluzioni sociali, delle manager e delle capitane d'impresa, come mai nel
mondo delle trentenni e delle quarantenni che hanno studiato all'estero, che sono cresciute libere, che sarebbero nelle condizioni di esercitare la loro autonomia, delle ventenni
che potrebbero aspirare a fare l'astronauta e non la moglie,
che non dovrebbero aver bisogno dei soldi e della tutela di
nessuno, come mai – ecco – queste donne sono disposte a
sopportare? Perché consentono che si eserciti su di loro la
violenza, sottile o radicale? Perché subiscono, perché non
si ribellano? I dati parlano chiaro, anche se in questo libro
non troverete dati ma solo storie. I dati ci sono, e volumi
che li espongono anche. Cinque anni di indagini Istat: nove violenze carnali su dieci non sono denunciate, il 96 per
cento delle violenze cosiddette minori sono taciute. 96 per
cento, quasi tutte. La vergogna, si dice. Ma anche se fosse
solo vergogna: vergogna di cosa? Di non essere abbastanza
brave a sopportare? Di non aver saputo adempiere al compito stabilito? Di essere macchiate e indicate dalla riprova-
zione sociale? La paura, si dice anche. Ma se vale per chi
non ha nulla e teme di perdere quel poco che resta, come
si spiega allora l'epidemia di massacri e omicidi nelle classi alte e medio alte, il medico che avvelena la moglie con
un farmaco volatile e torna a operare, il direttore artistico

del teatro che la bastona e la chiude viva in un sacco per i cappotti, l'imprenditore dotato di auto fuoriserie che istiga i figli a scrivere sul muro del salotto «sei una perdente, mamma: vattene». Perché queste donne non hanno reagito prima, perché hanno lasciato che dentro le mura di casa, in segreto, si esercitasse su di loro una quotidiana umiliazione per poi uscire e tacere, tornare in ufficio e sorridere, andare a scuola a insegnare e dire alle colleghe non è niente, sono caduta, ho urtato contro l'armadio?

C'è dell'altro, mi dice un avvocato esperto in cause di separazione per «violenza borghese». C'è una consapevolezza della debolezza maschile, una presunta forza femminile che si esercita nel tollerare la sopraffazione. C'è la sensazione che comunque un prezzo per la libertà si debba pagare e che sia questo. C'è un eccesso di considerazione di sé: io sarò capace di aspettare, di controllare, di gestire la tua ira perché ne conosco l'origine e ti so fragile. Come in quel film, *Ti do i miei occhi*: io avrò pazienza con la tua violenza, io ti porterò in un luogo dell'anima dove non avrai più bisogno di dimostrarmi che il più forte sei tu, non avere paura. Un sé grandioso che presume di avere la forza di trasformare il gatto in un topo, come in quella fiaba per bambini. Uno schiaffo cosa vuoi che sia, il cervello degli uomini è invaso dal testosterone, spiegano gli scienziati, gli uomini poveretti sono schiavi di un pensiero marziale, non trovano le parole, non trovano i gesti. Bisogna insegnarglieli. Come ai neonati. Neonati coi tatuaggi sui bicipiti e con il bomber: bisogna educarli e avere pazienza, in fondo sono smarriti.

Siamo in una fase di passaggio difficile e cruciale. È sotto gli occhi di tutti eppure non si nomina. Siamo nel punto in cui o si va avanti o si precipita indietro. C'è un costo, come in tutte le conquiste: solo che qui si paga con un trentennio di ritardo. È ora che si decide. È adesso che si sa cosa significhi stare dalla parte delle bambine: ora che le bambine sono diventate adulte.

Centododici donne uccise in Italia nel 2006 dal marito, fidanzato, amante: in più di metà dei casi l'assassino era un ex. In Spagna con settanta donne assassinate lo stesso anno si è gridato all'emergenza sociale, si è fatta una legge che punisce più gravemente l'uomo che aggredisce la donna; anche la Corte Costituzionale si è adeguata allo spirito del tempo e ha convenuto che la disuguaglianza della pena corrisponde a un'uguaglianza sostanziale. C'è un problema di tutela, di prevenzione e di certezza della pena, di disperazione delle donne. La signora Pinuccia a Torino ha sporto ottanta volte denuncia e gira con una maglia con su scritto: sarò la prossima. Ma c'è un altro tema, questo di cultura diffusa: la questione degli ex. Sono in maggioranza gli ex a perseguitare, ad aggredire. La cultura patriarcale di ieri era fondata sul «giusto diritto» degli uomini a comandare. Il delitto d'onore è scomparso dal nostro codice da pochissimi anni. L'uomo poteva, volendo: ne aveva il diritto, appunto. Oggi che non lo ha più la violenza è quasi sempre una rivalsa o una vendetta. Una forza che germina dalla debolezza. È come se gli uomini – certi uomini, molti – fossero incapaci di affrontare e gestire il rifiuto. È come se non avessero gli strumenti culturali, il sostegno sociale per superare un abbandono. Nella società dei vincenti chi ha perso «la sua donna» è uno sconfitto. I perdenti, scrivono alla madre quei due figli adolescenti, sono una nullità. Le donne massacrate hanno quasi sempre la «colpa» di aver detto di no: no all'aborto di un figlio non voluto, no all'invito ad andarsene di casa, no all'implicito divieto di rifarsi una vita con un altro, no alla richiesta di tornare insieme perché «se sei mia una volta sei mia per sempre». Scrive al ministro della Giustizia Francesca Baleani, trentasettenne di Macerata massacrata e gettata nel cassonetto dell'immondizia dall'ex marito imprenditore teatrale: «Mentre io venivo ricoverata in rianimazione in fin di vita con prognosi riservata e per ventitré giorni in coma farmacologico con lesioni interne (cuore al 32 per cento di attività per schiacciamento del miocardio, fegato e milza lesionati, edema polmonare), ipossia cerebrale, danni al sistema neurologico e sospetta paralisi dei quattro arti, il mio ex marito per tutta la mattina ha simulato lucidamente di cercarmi chiamando in ufficio e contattando mia sorella sul telefonino e, vedendosi costretto a raggiungere quest'ultima nel mio appartamento, veniva arrestato e portato in questura dove, interrogato, confessava ... Certo, per la coscienza comune chi è autore di un gesto così efferato è un matto ma ci sono anche le persone semplicemente cattive, penso io. La capacità di intendere e di volere, questo filo sottile e nebuloso della mente umana, troppo spesso viene strumentalizzato per ridimensionare atti dei quali non è stata approfondita la vera natura ... Io non avrò più una vita normale, avrò un'altra vita che mi costringerà a fare i conti ogni giorno con quello che è accaduto». La lettera si legge in *Amorosi assassini*, trecento storie vere di violenza concentrate in un solo anno, il 2006.

Qui però di storie di violenza che conduce alla morte ne troverete solo una e neppure accaduta in Italia: l'omicidio di Marie Trintignant per mano del suo bellissimo e celebre compagno, il cantante idolo della sinistra francese Bertrand Cantat (anche un idolo della sinistra uccide, certo). Le altre sono fiabe (*Barbablù*, *La rateta*, la topolina che sceglie di sposare il gatto), sono film (*La sposa cadavere*, capolavoro di Tim Burton, *Ti do i miei occhi* di Icíar Bollaín). Sono donne di carta disegnate nei fumetti (Eva Kant) e donne vere che hanno disegnato e scolpito opere meravigliose (Louise Bourgeois, Dora Maar, Lee Miller, Sophie Calle, Artemisia Gentileschi). Storie autentiche di anonime donne qualunque e di potenti ministri della Repubblica. Sante e streghe di molti secoli fa, prostitute di questo. Troverete riscritta la storia di Circe, che non era una maga orribile e cattiva ma una donna bellissima che tutti, compreso Ulisse, continuavano solo ad amare e abbandonare. Troverete una galassia piena di scie dolorose e luminose da dove cominciare a rispondere alla domanda: come mai è ancora possibile sopportare tutto questo? Cosa inchioda le donne al dovere o al desiderio di sopportare? Quanto di buono nasce dal dolore quando al dolore si sopravvive? Cosa passa dalla mente e dal cuore delle donne che portano, per tutti, il peso della violenza?

Il malamore è gramigna, cresce nei vasi dei nostri balconi. Sradicarlo costa più che tenerselo. Dargli acqua ogni giorno, alzare l'asticella della resistenza al dolore è una folle tentazione che può costare la vita.

Febbraio 2008. Il settimanale «Donna Moderna» commissiona a Oliviero Toscani una campagna contro la violenza sulle donne. Nell'ultimo numero del mese esce la foto. Due bambini nudi, fra i due e i tre anni: a sinistra «Mario» guarda nell'obiettivo e fa il gesto di camminare senza perdere l'equilibrio. A destra «Anna», ricci biondi, si copre la pancia con le mani. Sotto la foto di Mario c'è scritto: «carnefice». Sotto quella di Anna: «vittima». Una striscia nera proprio sotto le mani della bambina riporta la scritta: «No alla violenza sulle donne». Il messaggio è chiarissimo. I due bambini sono in età da asilo, identici nel fulgore della loro bellezza, diversi solo per genere, perfettamente intatti e incolpevoli: tutto deve loro ancora succedere. Il loro destino, la loro sorte, il ruolo che avranno nella vita non dipende, in questo preciso istante, da loro. Dice infatti Toscani: «I due bambini incarnano la purezza. Tutto comincia da lì, dall'infanzia. Poi intervengono l'educazione dei genitori, i valori che ci trasmettono, il loro esempio, giusto o sbagliato. Nella stragrande maggioranza dei casi è così e vorrei che le madri, i genitori ne fossero consapevoli: tocca soprattutto a loro educare i figli, crescerli nel segno del rispetto verso l'altro sesso e il resto del mondo. Molti invece, presi dagli impegni e dal lavoro, hanno abdicato all'educazione sentimentale dei figli e sono felici se i figli maschi esibiscono forza e virilità, si rivelano incalliti seduttori, mentre una figlia con tanti fidanzati...». Contro la pubblicità si sono immediatamente sollevati l'Osservatorio sui diritti dei minori, Telefono Azzurro e l'Associazione Italiana Genitori. La campagna non ha avuto seguito.

1

La rateta

Quando ero molto piccola ho ricevuto in dono da mia madre, che a sua volta l'aveva avuta da mia nonna, una spilla d'argento. Toccava a me in quanto figlia femmina primogenita, mi fu detto – ricordo – con una certa solennità. Una cosa di famiglia, una tradizione. Non l'ho mai messa. È la riproduzione di una topolina con una scopa in mano: in fondo alla scopa brilla una minuscola pietra preziosa che del gioiello costituisce il pregio. Da adolescenti le spille d'argento non si mettono, da ragazza alle prime vanità mi sembrò orrenda, me ne sarei vergognata: come si fa a esibire la riproduzione di un topo, un topo femmina per giunta, che addirittura scopa? A parte il significato letterale del gesto, così retrivo, c'era il riferimento allusivo ai secondi significati delle parole: improponibile. Restò in un cassetto. Furono piuttosto anni di monili indigeni e di simboli, di collane di corda e di conchiglie. Vent'anni dopo, l'estate scorsa, leggevo distratta su una spiaggia un bestseller da edicola. Storie di donne malamate, amori andati a male. Trovo, a un certo punto: «D'altra parte il monito della topolina che scopa la scala, i suoi insegnamenti sono così spesso disattesi...». La topolina che scopa la scala? Come la mia spilla di bambina? E qual è il monito? Ricerche, telefonate agli anziani superstiti della famiglia: ma certo, la rateta. Ma che mi dici, che non conosci la storia della rateta? No, non la conosco. Non è possibile: dì piuttosto che non te la ricordi. Tua nonna e tua madre te l'avranno recitata in versi di sicuro, da piccola.

È vero. Me l'avevano recitata ma avevo due, forse tre anni e non me la ricordavo più. Anche di questa smemoratezza ci sarà una ragione. Comunque: l'ho ritrovata. È semplicemente meravigliosa. Esistono decine di libri per bambini che la rinnovano ancora oggi in versione a volte edulcorata, a volte ambigua (a finale aperto, diremmo), a volte secca e tagliente com'era. La versione originale è in rima. Si tratta di un antichissimo racconto popolare catalano, *La rateta que escombrava l'escaleta*. La topolina che scopava la scala. Riassumo. C'è una topolina che scopa le scale di casa (nei disegni ha un grembiule da domestica, forse sono le scale della casa di qualcun altro). A un certo punto, mentre scopa, trova un soldo. Un soldo, ecco cos'è il minuscolo brillantino in fondo alla spilla, un *dinaret*, una moneta. Che fortuna ho avuto!, dice la topina. Cosa ci potrei fare? Se mi compro una caramella mi si rovinano i denti, e se mi compro... e se mi compro... Fa ipotesi e le scarta. Infine trova: ecco, un nastro. Mi comprerò un fiocco rosa *que l'amor s'hi posa*. In rima: un nastro rosa su cui l'amor si posa. Nella traduzione in castigliano il racconto s'intitola, infatti, *La rateta presumida*, la topolina vanitosa. Ma è riduttivo e fuorviante: non si tratta di vanità, come vedremo. Andiamo avanti. La topolina si lega il fiocco rosa sulla coda e immediatamente, come per una legge di natura – come per un riflesso incontrollabile degli astanti, i maschi – arrivano i pretendenti. Non l'avevano notata finora, la vedono grazie al fiocco. I tacchi a spillo, la scollatura, le giarrettiere, il reggiseno a balconcino, il seno nuovo, le labbra tumefatte: i tempi cambiano

ma il senso è quello. Il fiocco. C'è la fila in fondo alla scala.
Arrivano un cane, un asino, un gallo. Tutti le dicono: topolina, sei deliziosa, ti vuoi sposare con me? Allora lei fa loro un test perché è furba, sembra furba. Chiede a ciascuno:
dimmi cosa farai di notte. Domanda cruciale, purtroppo a
tre anni non ne capisci il senso. Chiede anche: fammi sentire la tua voce che ti voglio conoscere meglio. Il cane abba-
ia, l'asino raglia, il gallo fa chicchirichì. In alcune versioni
l'elenco degli animali è lunghissimo, i bambini impazzi-
scono a fare tutti i versi come nella *Vecchia fattoria*. Da ultimo arriva il gatto. Mellifluo, vellutato, seduttore. Bello. Un
gatto, comunque, e lei è un topo. Lui fa miao. La topolina
cade in estasi: sei tu, eccoti, sei tu il mio amore. Ti sposo.
Annuncia le nozze. Gli amici topi le dicono: sei pazza, è un
gatto, ti mangerà. Lei risponde loro a malapena, con indul-
gente sufficienza: questo gatto mi ama, mangia gli altri topi ma non mangerà me, fidatevi. Sarò la prima topolina a
domare un gatto, aspettate e vedrete: con me diventerà un
altro, ne farò un gatto che mangia verdura. Si sposano. Un
minuto dopo le nozze il gatto le si avvicina, voi direste per
baciarla. E invece... La mangia, naturalmente. Nell'ultimo
disegno resta solo il fiocco rosa. Quello che *l'amor s'hi posa*. È una storia tremenda. La protagonista muore sbrana-
ta. D'altra parte, cosa credeva.

Morale: i gatti sono gatti e questo restano. Retromorale:
i topi femmina tendono a scegliere i gatti. Forse pensano
che li salveranno, forse sono in preda a un delirio di onni-
potenza o hanno una vocazione al martirio: comunque lo
fanno. Ecco l'insegnamento, il segreto, saggissimo sapere
che si tramanda attraverso le spille per via femminile, di
nonna in nipote: evita i gatti. Sarai tentata di preferirli, li
sceglierai con ostinazione ma evitali, invece. Non esistono
gatti vegetariani. Esistono solo gatti mellifui, dissimulato-

ri dei loro propositi, gatti e basta. Esistono poi, in numero enorme, topine presuntuose (*presumida*, ecco il vero senso della parola: non è il primo significato, vanitosa, è il secondo, una che presume molto di sé) che credono di cambiare i gatti in topi, di essere più forti di loro. Più pazienti, più abili, più ostinate. Più lungimiranti, più generose, più sensibili. Un totem, quella spilla. Un amuleto. Peccato averla tenuta in un cassetto tutto questo tempo.

Cuneo. 13 maggio 2008, agenzia Ansa.

Una ragazza romena di quindici anni è stata violentata e costretta a prostituirsi da un gruppo di giovani connazionali. È successo nella zona di Mondovì, nel cuneese, dove i carabinieri hanno arrestato i sette componenti del branco. I militari hanno anche ricostruito la storia della ragazza, che era stata lasciata dal proprio fidanzato e nello stesso periodo era stata avvicinata dai connazionali, sette giovani tra i ventuno e i ventisei anni, che si erano offerti di starle vicino per aiutarla e l'avevano riempita di attenzioni e di premure. Poi il brusco cambiamento e l'inizio dell'inferno. La quindicenne viene sottoposta a violenze sessuali inaudite anche di gruppo, indotta a prostituirsi e minacciata insieme ai suoi familiari. Non passa giorno senza che il branco approfitti della ragazza, offrendola a domicilio anche ad altri connazionali, evitando di farla prostituire per strada per non incorrere in controlli. Dopo due mesi di questa vita lei si è ribellata ed è riuscita a denunciare i suoi aguzzini. Sono stati tutti arrestati e portati in carcere a Cuneo: sono ritenuti responsabili di violenza sessuale, individuale e di gruppo, nonché di induzione e sfruttamento della prostituzione minorile. Del fatto si è occupato il sostituto procuratore di Mondovì, Ezio Domenico Basso.

II

Dalia

Il mio nome è Dalia. Se fossi nata fiore avrei voluto essere giallo: come il sole, come i campi d'estate davanti a casa mia. Quello che vi chiedo è di ascoltare la mia storia perché potrebbe essere la vostra. Non voglio compassione, né pietà, né aiuto: non mi servono, non servono a nessuno. Non serve niente dopo, serve prima. Perciò voglio solo chiedervi: avete una figlia di dodici anni? Conoscete una bambina di quell'età? Ricordate i vostri dodici anni? Ecco: quella sono io. Vi porto a casa mia, entrate. È questa: piccola sì, non c'è nemmeno l'acqua corrente e per andare in bagno bisogna uscire fuori. Anche d'inverno quando c'è la neve: fa freddo ma ci si abitua. Anzi, mia nonna, che adesso ha quasi novant'anni e una pelle di bambola, dice che è il freddo a mantenerci così: lisci, sani. Il mio letto è quello con la stoffa a fiori. A voi che vivete nelle case di città sembrerà una baracca, lo so che le chiamate così le nostre case: baracche. È come quando ci guardate e ci dite: poveretti. Sono parole che non mi piacciono. Anche se sono dette con dispiacere, è proprio quello che non mi piace, la pena nello sguardo degli altri. La mia casa va bene così, è la mia casa. Quando ero molto piccola mi chiamavano regina. Mia nonna mi diceva: in questo angolo di mondo è nata una regina, sei bella come la prima stella della notte, sarai la nostra ricchezza. Io ero sicura che sarei stata una regina davvero prima o poi. Che sarebbe arrivato un re a portarmi via e che poi sarei tornata con una macchina bianca a prendere mia nonna e mia madre, i miei fratelli piccoli: li avrei portati tutti a palazzo. Mio padre non lo so chi è, non c'è mai stato un uomo a casa nostra. Mia madre esce il pomeriggio, la vengono a prendere, va a lavorare nel paese vicino: torna la notte, a volte non torna, però basta aspettare perché prima o poi torna sempre. È molto stanca, di mattina dorme. Aspetta un altro figlio, ne ha sette. I miei fratelli grandi sono partiti, in casa adesso siamo quattro. Sarai la nostra ricchezza. Era una frase bella ma non sapevo perché: pensavo che sarei stata ricca con la bellezza, con il re che sarebbe venuto a prendermi di certo. Poi ho compiuto dodici anni, l'età in cui si trova marito. Non avevo ancora il seno grande, non ero diventata una ragazza ma aspettavo: da un giorno all'altro succederà, mi diceva mia nonna. Per il mio compleanno abbiamo raccolto dei fiori, coi miei fratelli, e abbiamo cucinato una zuppa con la farina scura, buonissima. Io mi ero pizzicata le guance per farle diventare rosse come quelle delle bambole, delle signore. La nonna mi aveva intrecciato i capelli biondi in una corona sulla testa.

Gli uomini che venivano a prendere mia madre mi hanno vista così, ero proprio una regina. Hanno parlato tra loro e con mia nonna, mi guardavano e ridevano, poi sono andati via. La mattina dopo la mamma piangeva. Mi ha detto solo: «È venuto il momento di partire, regina. Poi quando avrai abbastanza soldi ti potrai sposare». Così ero felice: avrei avuto i soldi per sposarmi. Dovevo solo trovare il re. La nonna mi ha venduta per ottocento dollari. Moltissimi, li ho visti: so quanti erano perché li hanno contati. Sono venuti quegli uomini, sono entrati in casa e da una sacca scura

hanno tirato fuori tanti soldi come non ne avevo visti mai
Hanno contato per un mucchio di tempo, i miei fratelli sono venuti vicino e battevano le mani, sembrava una festa.
Cosa avremmo fatto con tutti quei soldi enormi e colorati?
Saremmo partiti, avremmo comprato una casa in città, una
macchina e una tv? Avremmo avuto una casa con l'ascensore, addirittura? Però no, non volevo andare via da casa
mia, non volevo una casa in città, ho chiesto alla nonna «a
cosa servono tutti questi soldi» e lei mi ha detto: a vivere,
a mangiare, li terrò io nascosti e una parte quando tornerai
sarà per te. Perché, dove vado? Vai a lavorare, mi ha detto. Vai con questi uomini che ti portano dove avrai una casa più calda e un lavoro, non avere paura. Però io avevo
paura, tanta. Ma la nonna era la nonna, la nonna decideva
sempre per noi e io ero la sua regina. La sua ricchezza, ecco perché. Era per me che pagavano tanto. Così sono andata. Avevo dodici anni. Come vostra figlia a dodici anni,
come voi al tempo della scuola. Il viaggio è stato lunghissimo. Nel posto dove siamo arrivati parlavano una lingua
che non capivo. Non conoscevo nessuno. Mi hanno dato
un letto in una stanza: la casa era più calda, sì, ma non era
la mia. Entravano uomini a vedermi, parlavano di me con
altri uomini. Sono passati i giorni. Dormivo, aspettavo. Alla fine quello coi baffi sottili mi ha detto alzati, partiamo.
Sono partita in macchina con due sconosciuti, abbiamo attraversato una città e siamo arrivati al mare. Sono salita su
una nave, sono arrivata in un altro posto, un'altra stanza,
un altro letto. Non avevo niente con me, solo le mie scarpe e i miei vestiti: una borsa piccola. Anche un fiore secco,
uno di quelli del mio compleanno.

Non voglio parlare di quel posto dove sono stata né di
quello che mi è successo. Non c'è niente da raccontare. Era
uguale ogni giorno, orribile. Le ore non passavano mai. La

gente che entrava non la vedevo neanche in faccia, non ricordo nessuno. Solo odore di umidità, puzzo, sudore, mani, vestiti sporchi. Non voglio parlare. Dopo un po' ho smesso di piangere perché se piangi, mi dicevano, nessuno ti vuole e ti buttiamo in mare. Ho avuto due figli, non so dove siano, li ho partoriti in casa, li hanno portati via. Non so se erano maschi, femmine. Li ho sentiti uscire da me, piangere mentre li portavano fuori dalla stanza, non li ho visti. Un giorno uno degli uomini che veniva mi ha picchiata, era ubriaco, rideva, mi ha tagliata dappertutto con un piccolo coltello, rideva, alla fine mi ha aperto la faccia. Sentivo il sangue ma non dolore. Mi ha curata una donna che non parlava mai. Con il segno sulla faccia valevo di meno, non mi volevano più. È una cicatrice che sembra una corda in rilievo, arriva fino alla bocca. L'ho vista un giorno in un pezzo di specchio. Non sono più bella come la prima stella della notte, ho pensato solo. Non ho pianto. Ho pensato che forse sarei tornata a casa, se ero brutta. Così ho cominciato a tagliarmi da sola. Sulle braccia, sul petto, sulla pancia. Ho segni dappertutto adesso. Ma ho fatto bene, lo sapevo che dovevo fare così: diventare brutta e farmi buttare via. Mi hanno buttata via infatti. Un giorno mi hanno fatta salire in macchina e mi hanno portata in un campo, pensavo che mi volessero ammazzare invece mi hanno solo fatta scendere. Vai, hanno detto. Era notte, c'era un campo e una strada senza luci. Ho sentito la macchina andare via, poi solo il rumore del mio cuore. Non so come, sarà stata la stanchezza o la paura, mi sono addormentata. La mattina ho cominciato a camminare lungo la strada, è passato un camion, mi ha fatta salire. L'uomo mi ha portata a casa sua e mi ha tenuta lì molti giorni, pensavo che volesse tenermi come moglie ma non mi parlava mai. Veniva la sera, ripartiva la mattina. Ero sua moglie, ho pensato. Va bene, resto qui. Poi invece si è stancato. Mi ha detto vai. Credo che mi abbia detto vai, insomma: mi ha dato la borsa coi miei vestiti e mi ha portata davanti a una chiesa. Così sono tornata a casa. Un prete, poi della gente in un ufficio, poi dei soldati, poi un ospedale, poi uno che parlava la mia lingua, poi – molto tempo dopo – un aereo enorme. A casa ci sono arrivata a piedi. Mi hanno lasciata al villaggio vicino ma io la strada me la ricordavo benissimo. L'ho vista subito, da lontano. Mio fratello, quello più piccolo, stava giocando fuori. Io l'ho riconosciuto, lui no. La nonna è morta. La mamma non torna da molte settimane mi ha detto Eric, che adesso è il capofamiglia: ha quattordici anni. Mio fratello piccolo, nato quando non c'ero, ne ha dieci. Cos'hai fatto in faccia, mi ha chiesto. Niente, si è rotto un vetro. E sulle braccia? Niente, una malattia ma sono guarita. Mi sono stesa sul mio letto, la stoffa a fiori era la stessa. Eric mi ha detto che un giorno spostando delle pietre hanno trovato dei soldi: il tesoro della nonna. Così non abbiamo problemi a vivere, abbiamo i soldi per mangiare e poi lui lavora, adesso, lavora ogni tanto per certi che costruiscono case. Quello che c'è ci basta, se vuoi restare, mi ha detto. Io sì che voglio restare.

Non voglio parlare con nessuno di quello che è successo, voglio solo stare qui. Diventare vecchia come mia nonna, cucinare la zuppa quando c'è la farina. Non verrà un re, lo so. Per fortuna non verrà più nessuno. Mi chiamo Dalia, come un fiore. Ho ventitré anni, sono vecchia. Non avrò marito, non avrò una macchina che viene a prendermi per portarmi a palazzo. Non ricordo più niente di prima. Non so. Non ho memoria di nulla. Non ho sorelle, solo maschi Non ci sarà nessuno che verrà a portarli via. È una fortuna non avere figlie femmine. Le femmine sono una ricchezza ma per poco. Vivono solo dodici anni

Annunci economici, quotidiano «la Vanguardia», pagina 53, martedì 13 maggio 2008. Rubrica «Borsa del lavoro», sezione Relax:

Gemma e Judith, minigonne e sandali, 18 e 19 anni, tel. xxx.

Bambina succhiona, sopporto il tuo castigo e anche di più.

Domestica di colore. Faccio tutto.

60 euro russe latine spagnole, servizio 24h, tel. xxx.

Bionda 45 anni divorziata 100 di petto servizio completo.

Eva e Vanessa 20 anni bocca e penetrazione insieme un'ora 70 euro.

Paola 35 anni sposata sola in casa la mattina, tutto quello che riesci a immaginare, tel. xxx.

Servizio di allattamento al seno, giovane, bella, appena partorito, tel. xxx.

Vedova. Cerco uomo che mi dia il sesso che mi manca, tel. xxx.

Giapponese con Jacuzzi, servile e docile.

Donna di casa, lo faccio solo per piacere. 9-13.

Solo ragazzi per uomini, discrezione assoluta, parking interno all'edificio.

Guardi o preferisci essere guardato?

Agenzia cerca cavalieri per accompagnare signore danarose.

Barbara, matura con soldi, cerco sesso sporadico, solo appuntamento a domicilio.

Tu e tua moglie con me, studentessa olandese, lesbo autentico.

Bibiana. Il mio desiderio è soddisfare i tuoi desideri.

Incinta. Tel xxx.

Schiava, senza paura né limite, non mi dimenticherai. Tel. xxx.

Moglie di famoso dirigente ricevo nel suo ufficio in sua assenza. Rischio minimo.

La tua vicina di casa, grassa e in pantofole, cucina e stira mentre la prendi.

Dirigente di 55 anni. Tel. xxx.

Club esclusivo sale tematiche: suore con velo, bambine con cartella, dominatrici con armi.

Se ti piace vestirti da donna sono qui.

Gemelle. Bionde, pelle scura. Corpi perfetti. Una muta l'altra cieca.

Completamente sottomessa, ti aspetto.

III
Cristina

L'annuncio sul giornale dice: e tu cosa faresti con me? Poi avvisa: parking interno con accesso diretto al piano. Discrezione assoluta. Entri in macchina e sali direttamente in camera. Cristina ti aspetta. Il posto è un palazzo di sei piani vetro e acciaio, zona centrale, piante ricadenti ai balconi: gerani e edere molto ben curati, si vede che qualcuno se ne occupa. Quinto piano, sul campanello accanto alla porta c'è scritto: «Centro servizi». Dentro sembra uno studio medico, solo che le pareti e gli arredi anziché grigi e bianchi sono gialli, rosa e arancio. India, colori del sole, alba e tramonto. Per il resto come dal dentista, dal ginecologo. Tavolino con riviste di turismo, piante da appartamento, distributore di acqua con bicchieri di carta: fredda o temperatura ambiente, l'acqua. Segretaria all'ingresso, coda di cavallo, golfino abbottonato e pantaloni: prego, si accomodi, la chiamo io. In sala d'attesa nessuno. È quasi l'ora. Qualcuno esce, infatti: voce di uomo, poche parole, rumore della porta che si chiude. Ancora cinque minuti, pochi – penso – per rimettere in ordine la stanza.

Cristina, poi. Ventotto anni, bruna, magra, alta. Pochissimo trucco, capelli lisci e corti con la riga da un lato. Occhi scuri, pelle chiara. Bel sorriso, camicia bianca e gonna blu, stretta di mano breve e formale. Una ragazza da metropolitana, da motorino, da aula magna dell'università. Nella stanza c'è un letto molto grande, un armadio Ikea, due poltrone e un tavolino con una bottiglia d'acqua, un poster di una spiaggia caraibica con due corpi nudi sul bagnasciuga. La cornice è arancione e anche tutto il resto, mi pare: i cuscini, il copriletto, le tende. C'è odore di mangiafumo al sandalo misto a dopobarba. Candele e colonia, forse. Misto, comunque.

«Amo il mio lavoro, voi non dite così? Lo faccio volentieri, mi piace. Io glielo racconto, certo, ma tanto vedrà che poi non lo scrive. Le puttane vanno compatite perché, poverette, sono costrette dalla povertà, dal degrado, dalla necessità e se lo fanno è colpa dei papponi che le sfruttano e degli uomini che le pagano, difatti loro non sono colpevoli, per la legge: sono colpevoli gli sfruttatori e, in qualche caso, in qualche paese, anche i clienti. Loro sono vittime, se potessero scegliere farebbero certamente le insegnanti o le brave madri di famiglia, no? Vorrebbero una bella cucina, un salotto col divano a elle, un buon marito che torna a casa la sera e le bacia dicendo ciao amore come va. Le cassiere al supermercato, come faceva mia madre, anche. La logica è questa, fa comodo pensare così. Invece no, non è vero. Io faccio la puttana: non sono una puttana, è diverso. Lo faccio perché rende molto e costa poco, lavoro part-time, solo la mattina, il pomeriggio vado in giro, sto col mio ragazzo se lui è libero, la sera, ogni tanto, faccio la babysitter a due bambine, due bimbe bellissime: riguardo i loro compiti, leggo loro dei libri e le metto a letto ché la mamma non può, fa l'avvocato, torna tardi. Lo faccio perché mi sento di dare qualcosa a qualcuno che ha bisogno, anche, ci crede? È così.

«Non voglio fare la parte dell'assistente sociale, della cro-

cerossina, del medico umanitario, ci mancherebbe, so di cosa parlo perché da ragazza io poi quella cosa lì l'ho fatta,
sono andata a vent'anni nella ex Iugoslavia, nel campo di
una Ong a fare la volontaria, un'estate l'ho fatto. Ma questo non c'entra. Dico che gli uomini che vengono qui io li
vedo, ci passo il tempo, vedo le loro pance gonfie, i denti storti, le cravattone che gli servono a fare finta di essere
importanti, le scarpe quadrate che mi fanno pena. Nei vecchi vedo la pelle vizza e il pisello moscio, la loro vergogna
e la loro ostinazione nel dimostrare che ce la fanno ancora,
nei giovani vedo la maschera che si mettono e, dietro, tutte le paure. Ci sono quelli che vogliono che tu gli dica solo
di no, ce n'è uno che viene qui tutti i martedì, vuole che io
lo respinga, vuole che gli dica scusa ma proprio non posso, ho i minuti contati, ho altro da fare, vuole che gli dica
ho due minuti, conto fino a centoventi e poi te ne vai. Mi
metto davvero a contare, quando arrivo a trenta-trentacin-
que gli viene duro, io conto, gli dico novanta, il tempo sta
per scadere, e lui lo mette dentro, gli dico centodieci e lui
spinge, corre, sente che non ha più tempo, che fra dieci secondi mi toglierò da lì e me ne andrò. Gode così. A volte
ci riesce, non sempre. Poveretto. Penso sempre chissà cosa
gli hanno fatto da piccolo. Chissà chi è che se ne è andato e
non lo ha voluto. Torna in un posto della sua memoria, da
qualcuno che non lo vuole, questo penso. Lo aiuto. Poi certo dopo si vergogna, mi tratta freddamente, a volte male:
sono il suo imbarazzante testimone. Poveretto. Ce n'è uno
sui cinquanta che mi vuole legare, le mani e i piedi, prendermi di schiena, carponi. Se gli dico: sì, legami, ti stavo
aspettando, non voglio altro, lui si immalinconisce e non
lo fa. Una volta mi ha raccontato di sua moglie che non lo
vede, lui dice, lo guarda ma non lo vede, non gli parla. La
ama, non può fare a meno di lei, della sua indifferenza. Se

resta con me vuol dire che mi ama anche lei, dice. Lo deduce dall'inerzia. Allora gli dico: no, ti prego, non mi legare stamattina, facciamolo guardandoci negli occhi e lui è felice, mi sussurra no puttana girati, mi lega, finge di violentarmi e sta bene un quarto d'ora. È chiarissimo, quando fai questo lavoro, che quello che loro vogliono è che tu faccia finta di non provare schifo: che tu non veda i loro abissi, le loro carie, i loro segreti di cui non parlano con nessuno e che forse nemmeno dicono mai a se stessi, anzi, al contrario, hanno bisogno che tu non mostri nausea del loro cattivo alito e dei loro odori, le loro sporcizie nascoste nelle pieghe della pelle sotto i vestiti grigi, le loro vite povere, da qualche parte definitivamente segnate. Poi ti dicono scusami, a volte, o povera bambina. Ma poveri sono loro, non io. Io apro le gambe, li tengo dentro, li accolgo. Sono loro che ne hanno bisogno, pagano per questo. Io ho imparato a controllare la nausea molto tempo fa, non la sento, non li sento dove fanno schifo. Anzi. Prendo i loro soldi, tampono le loro falle, risarcisco le ferite. Non è che sia sempre una passeggiata, certo. Certi giorni non ne ho voglia. Quelli che mi dicono: povera ragazza, lo fai per bisogno, lo fai perché c'è gente come me che ti costringe, avresti diritto a un lavoro normale, mi fanno proprio incazzare. Questo è un lavoro normale. È un lavoro necessario, perché così tutti possono continuare a dare gloria alle loro famiglie unite e solidali e a sopportare le loro miserie. È un servizio. Mia madre faceva la cassiera, gliel'ho detto. Le faceva schifo. Si alzava la mattina e diceva che schifo di lavoro, poi ci andava. Avrebbe voluto scrivere favole per bambini, magari, o suonare il flauto. Non lo so. Avrebbe voluto un'altra vita, ha avuto quella. Nessuno lavorerebbe se non ne avesse bisogno: con l'eccezione dei missionari e dei filantropi, certo. Io ho studiato per fare l'antropologa. Buoni voti, professori entusia sti. I miei felici di una figlia laureata. Sono andata a fare la volontaria dove c'era bisogno, ho visto il mondo. Poi sono tornata qui e tutto quello che ho trovato è stato un lavoro in un negozio di biancheria intima. Seicento euro al mese, contratto a progetto.

«Il mio ragazzo è architetto, lavora in uno studio internazionale, viaggia molto. Un giorno, a casa di un amico, ci siamo messi a scherzare, abbiamo guardato certi siti internet, c'erano gli annunci, le offerte: vergine offre per mille euro il piacere di essere presa. Vergine? Ridevamo. Dove sono le vergini? Il piacere di essere presa? Ma come parlano? Poi la sera ci ho pensato, e il giorno dopo anche, e tutta la settimana ancora: mille euro, quanto durerà? Al massimo un'ora, accidenti. La prima volta è stato difficile. Ho dato appuntamento a un tizio via mail, poi non ci sono andata. Ho pensato: e se mi ammazza? Perché vede, poi è questc il punto: non hai paura di lasciarli fare quello che voglio no fare. Hai paura che dopo ti ammazzino: con un coltello, con un cuscino, che ti scaraventino giù da una macchina in un burrone, che ti mettano il nastro adesivo sulla bocca e ti buttino a marcire in cantina. Per non lasciare testimoni, è ovvio. Perché magari la loro debolezza è talmente profonda, talmente indicibile che non vogliono, dopo, che ne resti traccia. Per questo la cosa fondamentale è stare qui, protetti, sicuri, con una segretaria alla porta.

«Certo, la società non lo ammette. Sa quanti matrimoni non avrebbero senso se ci fosse un servizio legale e sicuro di servilismo a pagamento? Non voglio fare della sociologia a buon mercato. Dico solo che lo so per esperienza, per aver visto mia nonna, mia madre, le mie zie, le mie amiche e me stessa. Il mio ragazzo quando è nervoso o stanco dice: fammi un pompino. Dice: se tu me ne facessi uno al giorno sarei un'altra persona, poi ride. Però io lo so che è vero. Dice: è insopportabile tornare a casa e non trovare niente da mangiare. Vale per la biancheria, vale per le camicie stirate. Vale per la buona figura che gli fai fare con i colleghi di lavoro la sera se ti metti carina e hai le autoreggenti: caspita, pensano quelli, che fica! Caspita, che uomo ad avere una così! Ecco, servizi. Tutti servizi che si potrebbero tranquillamente dare come una linea telefonica dedicata, come una spesa a domicilio. Però no, bisogna che lo facciano le mogli, le fidanzate: è il loro ruolo sociale. Le puttane servono a coprire le disfunzioni del sistema: le mogli alcolizzate e depresse, quelle che non ti rivolgono la parola se non per dirti dove hai messo le chiavi della macchina, quelle che non si tingono i capelli perché non gliene frega niente di piacerti, quelle che dormono fino a mezzogiorno poi vanno a fare shopping, quelle che si ammazzano di lavoro tutto il giorno e la sera non sono carine, no, e meno che mai si fanno legare.

«Va be', comunque mi sa che ho parlato anche troppo e poi tanto lei queste cose di certo non le scrive. La nostra ora è finita, fra dieci minuti arriva il prossimo cliente: cento euro anche lui, certo, gli stessi che ha pagato lei per il mio tempo. Faccio cinquecento euro tutte le mattine, sì. Netti. Cinque giorni alla settimana, nel weekend raggiungo il mio ragazzo. Sono diecimila euro al mese. Pago un affitto, me ne restano ottomila. Qualche volta, quando sono stanca di dire bugie, penso: smetto, ma ci ripenso sempre, dove lo trovo un altro lavoro pagato così? Nemmeno un amministratore delegato. D'altra parte è giusto, è un guasto del sistema che ha il suo prezzo, alto. Per continuare a credere che è tutto a posto, va tutto bene, le puttane devono restare segrete, commiserate, compiante e ben pagate. Così la macchina funziona. Il lavoro, i bambini, le vacanze di Natale, le solitudini, la vecchiaia, i tormenti segreti, le ossessioni nascoste. A me non costa niente, mi pare anche di fare una buona cosa. Sono utile al mantenimento dell'ingranaggio, aiuto persone in difficoltà, guadagno e non mi si vede. Non esisto. Le mogli, le fidanzate lo sanno, certe volte, e va bene anche a loro: non esisto, appunto. Loro fanno finta di non sapere, i loro uomini fanno finta di non avere bisogno. Accesso diretto dal parcheggio. Mi sento fortissima, certe volte. Proprio *wonder woman*. Io li vedo, io li so. Io devo solo aprire le gambe, aprire la bocca, dire di sì o di no quando lo chiedono e se no indovinare quello di cui hanno bisogno. Dov'è l'umiliazione? Che sciocchezza colossale. Umiliato è chi chiede o chi dà? Io sono più forte di loro, di tutti quanti loro messi insieme. Io li posso sopportare, disinnescare, placare, eccitare. Io gli servo, loro mi pagano. La padrona sono io.»

Aprile 2008. Dossier di otto pagine su rivista femminile (inserto da staccare e conservare). Titolo: Come non farsi fregare in amore, *liberamente tratto dal libro* La manipolazione affettiva. Quando l'amore diventa una trappola *di Isabelle Nazare Aga, terapeuta comportamentale e cognitiva.*

Scansione del dossier: 1) Test su «come riconoscere un manipolatore»: trenta domande, se avete risposto sì almeno a quattordici siete in presenza di un manipolatore. 2) Descrizione in quattro quadri di altrettante «situazioni a rischio». 3) I «problemi nell'intimità», otto consigli per «vivere meglio»: il quinto è «prestate attenzione a tutti i malesseri di origine psicosomatica». 4) Descrizione dei sintomi sotto il titolo «Quando il corpo si ribella». Testo: «Una lesione psichica si manifesta in un primo momento con dei sintomi fisici. Se il problema non si risolve i sintomi si intensificano fino a diventare permanenti e trasformarsi in malattie. È come se il compagno del manipolatore invece di esplodere implodesse. Le reazioni al disagio si manifestano a livello fisico perché non riescono a farlo a livello emotivo. Anche la depressione, tanto frequente in queste situazioni, sembra essere un'espressione deviata della rabbia contro se stessi». Segue elenco di disturbi da «implosione» del danno: insonnia, difficoltà di digestione, mal di testa, alterazione dei cicli ormonali, tensione muscolare, disturbi dell'alimentazione, aumento del consumo di tabacco o alcol, stanchezza improvvisa e repentina irritabilità, stati improvvisi di ansia, psoriasi. Piaghe, pustole, eczemi. Chiazze di arrossamento e secchezza della pelle. Fissure e lesioni cutanee di ogni genere, di origine ignota.

IV

Paura di volare

Caterina da Siena (1347-1380) aveva una gemella sopravvissuta pochi giorni alla nascita. Erano la ventitreesima e
la ventiquattresima figlia di un tintore e della sua unica
moglie, Lapa, vissuta evidentemente incinta e morta cen-
tenaria. A quindici anni i genitori vollero che Caterina si
sposasse col cognato, vedovo della sorella maggiore appena morta di parto. Lei rifiutò. Chiese, piuttosto che andare
in sposa al marito di sua sorella, di entrare nelle Mantella-
te, ma era troppo giovane per farlo. Allora si ammalò. «Il
suo corpo si ricoprì di pustole che ne sfiguravano il volto, il
collo e le braccia» scrive la studiosa Pamela Giorgi in *Donne sante donne streghe*, un'autentica miniera di informazioni
sulle possibilità che le donne avevano nel Trecento di evitare matrimoni imposti, l'incesto paterno, tacere qualsiasi
gesto di violenza e di «sopraffazione androcentrica»: farsi sante o streghe, appunto. Uscire dal circuito. Sante le be-
nestanti, streghe le poverette: una questione di condizione
sociale di partenza. Impressiona – nelle biografie fitte di ri-
sonanze e analogie fra sante e streghe – l'identica intensità e
frequenza di disturbi fisici, noi diremmo psicosomatici. Co-
nati di vomito, ronzii alle orecchie, capogiri. Piaghe, pustole, inspiegabili malattie della pelle. Senso di soffocamento,

alterazioni motorie. Caterina soffriva di vertigini, disturbi della respirazione. Oggi sarebbero crisi di panico. Bernardina Floriani, fatto voto di castità e di digiuno, prese a cadere in estasi: le sue visioni avvenivano tra dolori lancinanti, emorragie e repentina comparsa di piaghe. Aveva le allucinazioni e stava malissimo. Umiliana de' Cerchi, chiusa in una torre a pregare piuttosto che andare a seconde nozze con l'orrendo e violento marito designato, soffriva di contrazioni alla mandibola che le impedivano di masticare, i familiari le forzavano la bocca con un coltello, aveva lancinanti dolori di stomaco ed emorragie dal naso. Provava a uccidersi senza disporre di armi. Ugolina di Vercelli visse in un bosco per quarantasette anni cibandosi di bacche per sfuggire all'incesto del padre. Lo storico Rudolph Bell certifica che su centosettanta sante italiane del Medioevo almeno la metà mostrava sintomi dell'odierna anoressia: la «Santa anoressia», la fuga dal mondo attraverso l'astinenza assoluta, la privazione, la rinuncia al corpo. Caterina da Siena morì, del resto, di fame. Giovanna d'Arco, prima strega poi santa, bruciò senza dir parola sul rogo. Una prova di forza impressionante («fatevi una cella nella mente dalla quale non possiate uscire» diceva Caterina) che difatti impressionava popolo e sovrani. Le adoravano e le perseguitavano con pari foga e ostinazione. Ribelli, nemiche dell'ordine fondato sulla loro morte naturale per sottomissione, in fuga dal loro destino nell'unica direzione possibile: dentro di sé, se necessario contro di sé e alla fine senza di sé, meglio morte che umiliate e schiave. Capaci di una determinazione assoluta. Oltre due secoli dopo, a fine Cinquecento, Beatrice Cenci fu decapitata per aver ordito l'omicidio del padre piuttosto che continuare a essere violentata da lui: una folla immensa e devota l'accompagnò alla sepoltura. Bellezza Orsini, la più famosa delle streghe – una strega di nome

Bellezza – era stata data in sposa bambina a un uomo che l'aveva abbandonata poco dopo la nascita del loro figlio, Bartolomeo. Ancor più del ripudio Bellezza non poté sopportare il rifiuto del figlio da parte dell'uomo che l'aveva generato. Lasciata sola col bambino: è qualcosa che sembra facile da capire e che invece non si può spiegare. È, per una donna, il più radicale e insopportabile dei rifiuti. Fu serva, imparò a dosare le erbe e farne «oli fioriti», fu processata e condannata a morte. Si uccise in cella tagliandosi la gola con un chiodo alla vigilia dell'esecuzione.

È proprio mentre leggevo di giorno la vita di Bellezza che la sera archiviavo alcune tra le migliaia di storie raccolte dai centri antiviolenza d'Italia. Ce ne sono in tutte le città, quasi in tutte. Si chiamano Artemisia, Demetra. Arianna la rete nazionale. Centri d'ascolto e d'aiuto: nel Medioevo non c'erano. Ho conservato, fra le storie, quella su cui avevo scritto a penna: «paura di volare». Anche gli aerei nel Medioevo non c'erano. Lascio Bellezza Orsini, suo figlio Bartolomeo, la sua ultima notte e il rogo già pronto per lei. Questa è Elena, cinquecento anni dopo: Roma, 2008. Riassumo, per quanto possibile, il suo lungo racconto.

«Ho avuto mia figlia da un uomo sposato. Quando sono rimasta incinta lui mi ha detto fai quello che vuoi ma non con me. È tornato dalla sua famiglia, dai suoi altri figli, non l'ho mai più visto. Ho pensato non c'è problema, non sono né la prima né l'ultima, ce la faccio da sola. Ce l'ho fatta: per un paio d'anni, quasi tre. Ho avuto altre storie senza importanza, brevi. Avendo la bambina, non potevo dedicarmici, finivano. In fondo non mi interessava. Poi ho conosciuto durante un viaggio di lavoro un collega di un'altra sede. All'inizio era protettivo, affidabile, presente. Ho capito che avevo bisogno anche io, in fondo, di qualcuno che si preoccupasse di me. L'ho fatto entrare, mi sono fidata. Dopo qualche mese mi ha minacciata per la prima volta, durante una discussione banale: tu e la tua figlia bastarda, mi ha detto. Il giorno dopo era disperato, mi ha chiesto scusa in ogni modo. Ho pensato: dev'essere difficile per lui, devo aiutarlo a farcela. È diventato un modo di convivere, un'abitudine: crisi, violenza, pentimento, perdono. Ho cominciato a dormire di meno. Sempre di meno: facevo dei sogni tremendi, quasi sempre precipitavo e morivo con la bambina. In macchina, scivolando a piedi in una scarpata, giù da un ponte. Un disturbo del sonno, mi ha detto il mio medico: mi ha dato delle gocce. Poi però ho cominciato a vedere quella scena anche di giorno: proprio come fosse una visione, un'allucinazione. Guidavo per andare al lavoro e vicino ai ponti, agli svincoli sopraelevati cominciavo a sudare, ad avere il cuore in gola. Mi vedevo precipitare con la macchina di sotto e sempre immaginavo di avere la bambina dietro, nel seggiolino. Non lo so spiegare ma lo vedevo davvero, lo vedevo talmente da aver paura che potesse accadere: di non potermi controllare. Accostavo, mi fermavo, aspettavo che mi passasse. Il medico mi ha mandata da uno specialista, lui mi ha detto che erano crisi di panico, mi ha dato altre gocce, diverse. È andata meglio per un po'. Ur giorno poi ho dovuto prendere l'aereo. La sera prima avevamo litigato molto: lui mi aveva dato qualche ceffone ma niente di grave, poco. Io lo so che ce la sta facendo, ce la farà a tenere me e la bambina: devo solo dargli tempo, serve tempo. In aereo però, quando eravamo ancora sulla pista non riuscivo a stare seduta. Ero sicura che sarebbe caduto ma non avevo paura per me, pensavo: la bambina con chi resta? Non posso partire senza la bambina, devo tornare indietro. Mi hanno aiutata le hostess, quella volta, mi hanno fatta stendere ma è stato orribile, davvero orribile. La volta dopo peggio: mi sentivo bruciare, ardere come nelle fiamme. Non posso partire senza mia figlia, lei ha solo me: questo è il punto. Però se non parto perderò il lavoro prima o dopo. Allora volevo chiedervi aiuto non tanto per me quanto per F, il mio ragazzo. Non ce l'ho con lui, lo ripeto, non è niente di grave: però se qualcuno potesse parlargli sarebbe meglio. Ma soprattutto, vorrei sapere: esiste una cura per chi ha paura di volare?»

Da Marini Vera fu Gaetano, *monologo teatrale di Elena Cantarone:*

Così, sono passati due anni e intanto i bambini sono cresciuti. Adesso incominciano a vedersela da soli, non è più tutto «mamma dammi questo, mamma dammi quello». È arrivato il momento che devono scoprire il mondo, che è così che succede in natura. Quando una creatura cresce la madre deve farsi da parte, che non c'è più tanto bisogno di lei. Insomma, questo solo per dire che non riuscivo più a tenerli lontani da quel maledetto frigorifero, che ormai se lo aprivano da soli: «Mamma, che cosa sono questi barattoli?». «È una conserva speciale.» «Ce la fai assaggiare?» «No, ci vuole ancora un poco a farsi. Quando sarà pronta sentirete che buona.» Ma quelli c'avevano una curiosità di mangiarsi quella benedetta conserva che se li rodeva e io c'avevo paura che una volta, di nascosto, andavano da soli ad aprirselo un barattolo. E io potevo stare tutta la vita a fare la guardiana al frigorifero? Così, ieri notte mi sono decisa. Prima di tutto, ne ho parlato con Franz. Non volevo che magari si offendeva che di punto in bianco lo mettevo alla porta e gli davo il benservito. Che diamine, un poco di buona creanza! Insomma, gli ho spiegato che proprio non lo potevo più tenere. Ma lui ha capito, eh. Mi ha detto che non mi dovevo

preoccupare, che lui stava bene dappertutto. La cosa più impor-
tante era che io lo amavo, ma adesso dovevo pensare alle creatu-
re. Oh, è proprio vero che la gente cambia, che se non lo sentivo
con queste orecchie, non lo potevo credere che quello era proprio
Franz che parlava così! Col tempo, s'era fatto davvero più buo-
no. Allora, per farlo contento, l'ho portato nel nostro posto pre-
ferito, che mica lo potevo abbandonare in mezzo alla strada come
un cane. Ho messo a letto i bambini, ho preso la macchina, ci ho
caricato sopra i barattoli e con la testa accanto, chiacchierando
fitto fitto per l'ultima volta, sono andata alla villa comunale, che
ci stava un buco nella rete da dove entravamo con Franz quando
andavamo lì a passare certe notti d'estate che il ricordo ancora
mi scalda il cuore. Prima ho controllato se c'era sempre il cespu-
glio del biancospino, e quello stava lì, tutto bianco e profumato.
Allora ho preso i boccali e ce li ho deposti dentro con cura, la te-
sta al centro, sotto una pioggia di fiori che cadevano ogni volta
che scuotevo un ramoscello – che quante volte ce l'eravamo det-
to, con Franz, che quei fiori volevamo al nostro matrimonio: la
chiesa tutta addobbata con i fiori del biancospino e, all'uscita, la
gente del paese che ce li buttava in testa invece dei soliti chicchi
di riso – e così, sotto quella pioggia di fiori, è stato come se ave-
vamo celebrato le nostre nozze e mi sono sentita una pace che mi
scendeva dentro perché in quel momento ho capito che io e Franz
ci appartenevamo davvero per l'eternità e il fatto che lì stavo la-
sciando quello che restava di lui non voleva dire niente perché io
il mio Franz me lo porterò per sempre nel cuore.

V

Circe

Una maga orribile e cattiva. Una maga orribile e cattiva. Una maga orribile e cattiva. La leggiamo ancora, bambini? Di nuovo, ancora la stessa? «Sì, dai mamma, la stessa.» Si sa che i bambini vogliono sentire sempre la stessa storia. Questa poi è magnifica: racconta di una donna bellissima e anche orribile, a pensarci bene, orribile perché faceva paura. Una maga triste. «Era cattiva perché era triste, no?» chiedono i bimbi. Certo, era diventata cattiva perché non voleva più restare sola, era disperata, tutti le davano dei baci, le dicevano: come si sta bene con te, si sta proprio benissimo come in paradiso. Poi se ne andavano, però. Dopo un po' la salutavano e partivano. A volte non la salutavano nemmeno, partivano di notte senza dirle niente, così la mattina lei si svegliava e non trovava nessuno. «E dove andavano?» Tornavano a casa, dalle loro famiglie, dai loro figli. «E non tornavano più da lei?» No, non tornavano più. Così lei restava di nuovo sola e alla fine si arrabbiava tantissimo, ma tantissimo. Allora faceva le magie. «Come aveva imparato a farle? Le sai fare anche tu?» No, io non le so fare. Però certe volte quando proprio non c'è altro rimedio le persone fanno certe cose che sembrano magie e uno non sa mica dove le ha imparate. Gli sono venute così, in quel momento. Le fa e basta. «Dai mamma, leggi: c'era su un'isola una maga orribile e cattiva... Dai, prendi il libro, leggi.» Va bene, ma è l'ultima volta. Si chiamava Circe, viveva su un'isola.

«Euriloco era talmente terrorizzato che non riusciva a parlare. Quando alla fine si era calmato e Ulisse gli aveva di nuovo chiesto chi ci fosse in quella casetta in mezzo all'isola dove erano approdati, Euriloco aveva detto poche e chiare parole: una maga orribile e cattiva. "E che genere di magie farebbe?" aveva domandato Ulisse. "Magie del genere sparizioni e misteriose trasformazioni." "Ah!" aveva detto Ulisse.»

«Ulisse era bello, mamma?» Sì, molto bello e coraggioso. «Allora adesso lui va a vedere nella casetta.» Sì, va a vedere.

«Aveva deciso di andare da solo a dare un'occhiata. Si era addentrato nel bosco finché non aveva visto una radura. Nel mezzo c'era una casetta con il fumo che usciva dal comignolo sul tetto. Be', aveva pensato, sembra il disegno di un bambino, non deve essere un posto molto pericoloso, questo. C'è da dire che lui non aveva visto i lupi e i leoni che stavano intorno alla casa a fare la guardia. Forse per questo aveva pensato che fosse un posto tranquillo.

«Siccome tutte le volte che aveva mandato in perlustrazione due uomini e l'araldo, che poi sarebbe l'ambasciatore, era finita che qualcuno se li era mangiati, stavolta Ulisse decise di fare due gruppi di uomini e di tirare a sorte. Il primo gruppo l'avrebbe comandato lui e l'altro Euriloco, il suo uomo migliore, il capitano in seconda. Un gruppo sarebbe rimasto a fare la guardia alla nave, l'altro sarebbe andato a vedere chi c'era nella casetta. Toccò a Euriloco. Non che ne fosse molto contento, però era andato. E il giorno dopo era tornato da solo e in preda al terrore.»

«La maga aveva fatto la magia.» Infatti, sì. Euriloco era arrivato alla casa con venti uomini, avevano visto i leoni e i lupi che ci giravano intorno ma la cosa strana è che le bestie feroci non li avevano aggrediti, anzi: gli scodinzolavano intorno, come cani addomesticati quando accolgono il padrone.

«Bussarono alla porta e chiesero permesso. Un'ancella molto bella gli venne incontro e aprì la porta. Poi andò a chiamare la padrona di casa. E arrivò Circe.

«Questa storia che Circe fosse una maga orribile e cattiva non è che sia proprio esatta. Tanto per cominciare non era affatto orribile, anzi era molto bella. Ma molto bella. Euriloco e i suoi rimasero a bocca aperta non appena la videro. È questa la prima cosa che andrebbe detta di Circe, che era una donna bellissima. Talmente bella che i nostri non riuscirono a trattenersi dall'entrare in casa sua, non appena lei li invitò. Tranne Euriloco, che di donne belle ne sapeva qualcosa e quindi rimase in disparte, si nascose dietro la casa e osservò tutta la scena.»

«Lei gli dà da bere una pozione e li trasforma!» Proprio così: in maiali. «E cosa c'è nella pozione, la facciamo anche noi?» No, non lo so come si fa. Comunque bisogna stare molto attenti perché a volte uno si trasforma in maiale anche senza bere una pozione. O in orco, in coniglio, in squalo. «Davvero? E come?» Senza fare nessuna fatica: si vede che lo è già, da qualche parte, un po' orco, coniglio, squalo o maiale. Così, all'improvviso, certe volte si vede quello che è. «Dai mamma, non raccontare un'altra storia, continua questa.» D'accordo, allora gli uomini bevvero la pozione e si trasformarono.

«Qualcuno grugnì, a qualcuno spuntarono delle setole al posto dei peli sulle braccia, poi gli uscì fuori una coda arricciata e un muso da maiale.

«La magia le era venuta alla perfezione, Circe era molto soddisfatta. Anche stavolta quegli uomini non l'avrebbero lasciata e, come gli altri, trasformati in lupi e leoni, sarebbero rimasti a proteggerla e a farle compagnia su quell'isola sperduta. Euriloco si era preso un bello spavento a vedere i suoi compagni tramutati in maiali. Era tornato di gran corsa verso la nave. E aveva raccontato tutto a Ulisse.»

Una maga orribile e cattiva: è quello che abbiamo detto all'inizio.

«Ora va Ulisse dalla maga?» Sì, ora ci va lui.

«Sentì un rumore alle sue spalle, come di foglie, come il fruscio di un paio d'ali. Allora si fermò, si mise in ginocchio e chinò la testa.

«Aveva capito che quello era Ermes, dio dei ladri, poeta e fingitore e, cosa più importante di tutte, messaggero di Zeus. Ulisse aveva imparato, col tempo, a riconoscere gli dei. Quando un dio si mostra, è perché deve dirti qualcosa di importante. Se non lo sai riconoscere è facile che se la prenda a male. Appena aveva sentito il fruscio che fanno le ali dei sandali di Ermes, si era inchinato. Ermes era un dio già di suo piuttosto simpatico e apprezzò molto il gesto di Ulisse. Fece un gran sorriso e apparve in tutta la sua bellezza. Stava accovacciato sul bordo di uno stagno e osservava cosa succedeva gettando dei sassolini dentro l'acqua.

«"Dove vai così di fretta, Odisseo?" disse Ermes, senza smettere di guardare lo stagno. Odisseo è il modo greco di chiamare Ulisse, e siccome Ermes era anche il dio delle lingue e dei linguaggi, lo chiamò in greco. A parte il fatto che lui *era* greco.

«"Da Circe, la maga, mio signore" rispose Ulisse.»

«Ecco, mamma vai più piano: ora lui gli dice come fare a non essere trasformato in maiale, sa le formule contro le magie come Voldemort, sai quello di Harry Potter?» Sì, infatti, fra dei e maghi non c'è tutta questa differenza: si capiscono. Infatti, ecco.

«"È una maga pericolosa, Circe" disse Ermes dai sandali alati. "Ma non è cattiva, e nemmeno orribile. Anzi, vedrai che è molto bella, molto. Lei vorrà darti da bere una pozione magica per trasformarti in qualche bestia selvatica. Perché vuole che restiate qui. Si sente sola, tutti gli uomini che vengono da lei poi scappano. Forse perché è troppo bella, o perché è un po' magica... Va be', comunque tu prendi questa erba e mangiala, vedrai che la sua pozione non funzionerà. Lei allora vorrà stare con te, vorrà amarti. Tu fallo, lei merita il tuo amore. Ma falle promettere che poi libererà i tuoi compagni. Devi essere molto duro e deciso con lei, ma nello stesso tempo devi volerle molto bene."»

«E Ulisse va.» Va, bussa alla sua porta.

«Circe era davvero molto bella. E non sembrava neppure troppo cattiva. Certo era una donna determinata e, come aveva detto Ermes, c'era qualcosa di magico in lei, qualcosa che può fare anche un po' paura. Ulisse fece come aveva detto Ermes e la pozione magica di Circe non funzionò. Lei all'inizio rimase abbastanza stupita, poi cominciò a fare gli occhi dolci e a cercare di incantare Ulisse. Allora lui tirò fuori la sua spada e la puntò verso il petto di Circe. "Tu adesso" le disse "devi liberare i miei compagni e trattarci come ospiti di riguardo." Lei lo guardò spiazzata, non era abituata ad avere di fronte uomini così determinati e sicuri di sé. Allora Ulisse vide che non era poi troppo cattiva, e vide che in fondo ai suoi occhi c'era una grande dolcezza. Lasciò cadere la spada e la baciò.

«Circe e Ulisse stettero insieme per un anno intero.»

«E anche tutti i suoi compagni che erano tornati uomini?» Anche loro, restarono tutti.

«Stettero molto bene. Avevano da mangiare, da bere, andavano a caccia, giocavano a dadi e ogni tanto andavano anche al mare. Le ancelle di Circe accudirono con molta attenzione i compagni di Ulisse. E Circe accudì Ulisse. La sera, spesso lui andava a guardare il mare dalle scogliere. E pensava alla sua casa e a Itaca. Però dopo un po' Circe lo raggiungeva e cercava di distrarlo, insieme passeggiavano per i giardini dell'isola e parlavano. Si stava bene con Circe, era una donna molto intelligente, ed era molto divertente parlare con lei, non ci si annoiava. Ulisse raccontava della guerra di Troia, Circe degli dei e delle loro storie, e parlavano finché il sole non si era del tutto nascosto dietro il mare color del vino.» Erano felici.

«Allora perché anche Ulisse se ne va, mamma?» Questo non lo so bene. Forse perché era troppo bello stare lì e quando una cosa è così bella uno ha paura che finisca allora la fa finire lui per primo. «Ma dai, non è possibile.» Sì, sì, a volte succede. Comunque Ulisse aveva anche un dovere, un viaggio da finire: e poi gli mancava la sua casa, aveva nostalgia della sua famiglia. Tutte queste cose insieme. Dunque se ne va e Circe resta di nuovo da sola nella sua isola. «Triste?» Un po'. Però poi qualcun altro arriverà di certo con una nave a farle compagnia, state sicuri. E se si comporterà bene con lei, se ne avrà cura come ha detto Ermes, lei non gli farà nessuna magia e vivranno insieme nella casetta. «Felici e contenti?» Proprio così, felici e contenti.

Ogni volta che, come stasera, rileggo il modo in cui Giovanni Nucci ha riscritto per ragazzi, in fascicoli, l'Odissea (sue le parole fra virgolette, sua la parte di racconto. Lo pubblica l'editrice E/O, il libro s'intitola *Ulisse: il mare color del vino*) penso che davvero non ci siano storie più belle di queste e che nessuno le abbia tradotte in fiaba con più grazia e acume e profonda saggezza. Circe più di tutti ci incanta: i bambini e me. Le magie, certo. L'amore, ovvio. Le

bestie feroci e il dio con le ali ai piedi. E poi anche la disperazione alla radice del male: era sola, se ne andavano tutti,
si mise a fare magie. La forza distruttiva («orribile e cattiva») che si esercita tranquilla quando il disamore ti asse-
dia: non c'è altro da fare, in quelle condizioni, si direbbe.
Elena Cantarone, che non è Omero ma che per la sua parte sa di cosa sta parlando, ha scritto un monologo intitolato *Marini Vera fu Gaetano*. È preso da lì il brano sui barattoli
di marmellata e il biancospino che precede queste pagine.
Racconta (e recita lei stessa, attrice salentina) la fulminan-
te storia di una candida assassina. Una donna qualunque,
una donna del Sud. Una Circe analfabeta. Marini Vera de-
clina così, prima il cognome poi il nome, le sue generalità
a un invisibile commissario di polizia. Il monologo parte
da qui e per più di un'ora racconta la storia del suo delitto.
Lo fa con voce a tratti infantile, lo dice in forma sgramma-
ticata, lo enuncia con l'evidenza di chi spiega di aver fatto
l'unica cosa che poteva. Davvero con amore, non c'era altro da fare. Lui la voleva lasciare, voleva andarsene e non
era proprio più possibile restare sola di nuovo. Dopo quella
vita d'inferno, dopo le violenze, i figli nati non si sa da chi,
dopo che tutto il paese l'aveva chiamata pazza e poi puttana, le donne del paese a chiudersi in casa al suo passaggio, gli uomini a farle i gesti per strada perché gli sarebbe
piaciuta, a loro, Marini Vera per una sera o due e invece lei
sempre sola, a casa, sempre sola. Poi era arrivato Franz e si
erano amati così che quando lui aveva detto: bene, adesso
vado, è ovvio che lei non poteva lasciarlo andare, di certo
anche lui la amava, solo che non l'aveva capito bene, poveretto, si sa che gli uomini a volte sono un po' lenti in queste cose, hanno paura, bisogna avere pazienza. Così lo ha
tenuto, per il bene di entrambi, è chiaro: lo ha fatto a pezzi
nella vasca, lo ha cotto fino a scioglierlo, lo ha conservato in

frigo per due anni. Attenti bambini a non aprire i barattoli della marmellata, non è ancora buona. Poi un giorno non ce l'ha fatta più, i bimbi aprivano il frigo da soli, ormai erano grandi abbastanza, e allora ha portato Franz, tutti i barattoli pieni di Franz ridotto marmellata, sotto il biancospino della villa comunale. Mezza giornata ci hanno messo i poliziotti ad andare a suonarle alla porta. Lei li aspettava con il vestito buono, aveva mandato via i figli per tempo, ché non avessero a spaventarsi delle divise. Meglio così, dice Vera mentre va verso la prigione. In un certo senso è anche questa una storia a lieto fine: tutto dipende da cosa si intende per lieto, rispetto a cosa, e anche per fine, rispetto a quale. Meglio non raccontarla ai bambini, comunque, per ora. Meglio restare su Ulisse, che almeno torna a casa da Penelope devota, silenziosa e molto paziente, beata lei.

Dal «*Ruggito del coniglio*», *RadioDue, 16 maggio 2008:*

«Abbiamo al telefono la signora Marisa. Pronto, signora Marisa? È in linea, ci racconti il suo aneddoto.»

«Sì, ecco. Io quando stiro sto in cucina e guardo la tv nel televisorino piccolo. Mio marito invece sta sdraiato sul divano a guardare quella grande.»

«E perché non sta in soggiorno anche lei?»

«Perché mio marito dice che a vedermi stirare si stanca.»

VI

La mala educación

Partecipo alla presentazione di un libro di Massimo Ammaniti, psicanalista: *Nella mente delle madri*. Si parla della relazione madre-figlio. Ci sono alcuni suoi colleghi, docenti di letteratura, esperti di storia delle donne, insegnanti di scuola dell'obbligo, studenti, pubblico vario. È quasi ora di cena, comincia il dibattito. Si alza dal pubblico una signora sui quaranta, bionda, veemente. Dice, rivolta a me: «Scusi, tanto per sapere. Lei perché non è a casa a preparare la cena ai suoi figli a quest'ora invece di essere qui? Non crede che i suoi figli preferirebbero avere una madre che gli dà da mangiare, che sta con loro se hanno un problema, che li aiuta a fare i compiti piuttosto che stare con una baby-sitter perché mamma ha da fare? Ne ho abbastanza di tutte queste lezioncine impartite dalle pseudoprogressiste di successo che poi rovinano le loro famiglie. Snob, non siete altro che snob che si vantano di non mettere piede in cucina. Ringraziate piuttosto chi sta a casa al posto vostro a fare il lavoro per voi: i mariti, magari, anche». Dev'essere la parola snob che paralizza la mia lucidità: lo ha sempre fatto. Non capisco mai bene in che senso venga usata come corpo contundente: immagino ragazze alla Jane Austen che litigano per la piuma di un cappello da indossare alla festa,

piccole donne crescono, algide fidanzate filiformi che simu-
lano atteggiamenti da orsoline. Sono sempre fuori strada.
La platea sussurra, qualcuno fra il pubblico annuisce: un
paio di anziane mogli, mi pare, bisbigliano all'orecchio del
consorte. Dico, confusa, che io di solito cucino, che i miei
figli comunque questa settimana sono in gita. Sorrido, un
po' in sostanza mi scuso, faccio finta di prenderla come una
battuta, passo oltre. Resto. comunque molto a disagio: c'è
qualcosa nel fatto che una donna della mia età mi dica, con
quella rabbia, che non sono «al mio posto», che mi dispiace. Non capisco bene, dev'essere così: non sono in ascolto
dunque non capisco.

Perciò ci penso, ci ripenso a distanza di giorni e faccio
un mio personale elenco. Sono a disagio anche sul treno
– intercity Roma-Milano, seconda classe, scompartimento
pieno – perché la madre di questo ventenne con le cuffie
dell'i-pod seduto a gambe larghe accanto a me sta in piedi
fuori per cinque ore ininterrotte – lei, la madre, in piedi –,
non si scambiano una parola per tutto il viaggio, quando
passa il carrello delle bibite lui le fa cenno di comprargli
una coca light, gliela indica col mento, lei la compra, gliela
porge guardandolo estasiata, sorride agli altri passeggeri,
cioè anche a me, con l'aria di dire: sono ragazzi, che volete;
quando scendono lei porta tutte e due le valigie, lui solo il
suo zainetto semivuoto su una spalla sola, annoiato. Lei gli
parla, lui non le risponde. Lei arranca, lui la ignora.

Sono a disagio quando mi dicono, le donne soprattutto:
quattro figli e tutti maschi? Complimenti. Complimenti per
il genere, non per il numero, è chiaro.

Sono a disagio quando la maestra di ritorno dal campo
scuola convoca i genitori per il resoconto del viaggio e di
passaggio dice che i maschi, certo, dovrebbero avere cura
di tirare l'acqua dopo essere stati in bagno perché le fem-

mine lo fanno e insomma, via, non è difficile e le madri si sorridono e ammiccano e annuiscono: certo, sì, anche a casa tocca sempre a noi tirare l'acqua in bagno.

Sono a disagio quando al lavoro propongo di fare un servizio su quella ditta di elettrodomestici spagnola che ha inventato la lavatrice per famiglie numerose, si aziona riconoscendo le impronte digitali: la terza volta che la accende la stessa mano non parte più (prevede che la si usi a turno, diciamo così) e mi rispondono: che cosa spiritosa, che esagerazione però, chi vuoi che la compri, è una scemenza.

In fondo, ecco, ha ragione la signora del dibattito: non sono al mio posto. L'onda reazionaria che sta riavvolgendo all'indietro il film della storia mi ha sorpresa fuori sincrono. Pensavo di essere nello stesso posto degli altri ed ecco che mi trovo invece in una minoranza di protestatarie additate addirittura (addirittura!) come postfemministe con la data di consumazione scaduta. Che posto scomodo, che disagio. Mi ricordo che da bambina mio padre tornava dalle udienze in tribunale e passava l'aspirapolvere. Mia madre preparava il risotto e sul tavolo sgombro teneva le sue traduzioni. Lei era più brava di lui a riparare i transistor della radio e a rimettere in moto la macchina, lui più di lei a preparare i bagagli e a riconoscere dal profumo il nome dei fiori. Coi miei fratelli (maschi e femmine) ci svegliavamo alla stessa ora, andavamo nelle stesse scuole, abbiamo avuto le stesse incombenze quotidiane: portare fuori la spazzatura; vedere se manca il latte prima di uscire di casa e comprarlo al ritorno; lavarsi a mano la biancheria che stinge e non stenderla in bagno, assolutamente mai, che poi se uno deve farsi la doccia trova sei calzini appesi; chiudere il dentifricio dopo averlo usato se no si secca; non disturbare un fratello o un genitore che studia o che riposa se non per casi urgentissimi, caso mai lasciare un biglietto; telefonare sempre per avvisare del ritardo; occuparsi del più piccolo in caso di assenza degli adulti, leggergli una storia, giocare con lui. Non era sempre una meraviglia, è chiaro, è stato a volte anche molto difficile, ma le regole erano queste. Ho desiderato avere figlie femmine, ho avuto maschi e sono stata contenta lo stesso. Ancora mi sorprendo un poco quando mi dicono: lei deve avere accanto un uomo meraviglioso che la aiuta tantissimo per riuscire a fare il lavoro che fa. Gliene sarà grata... Ringrazio, naturalmente, per principio e per cominciare ringrazio ma non riesco a considerare una gentilezza il fatto che la persona con cui divido l'esistenza chiami l'idraulico se si sfascia un tubo o mi sostituisca alle feste di compleanno degli amichetti dei ragazzi quando non ci sono. Non una gentilezza, non direi questo: una necessità, un piacere, un inevitabile fastidio, dipende. Io faccio altrettanto, del resto, quando tocca. È strano ringraziare, no?

Nel liceo di mio figlio adolescente una brava insegnante, di fronte ai comportamenti da branco dei maschi e alle *mises* delle femmine che si presentavano a scuola alle otto di mattina truccate come Eleonora Duse a una prima di teatro (diciamo come Britney Spears a un concerto, ma più o meno è uguale) ha chiesto e ottenuto che le ragazze eliminassero almeno le extension delle ciglia («quelle ve le mettete la sera in discoteca, per scrivere in classe non servono») e che i maschi si impegnassero ogni giorno in un compito ritenuto femminile: aiutare i bambini piccoli, in mensa, a tagliare la carne. Un'ottima idea. Siamo lontanissimi dal discutere se tagliare la carne e aiutare i piccoli in mensa sia un compito femminile, se non sia piuttosto e solo un compito da adulti: intanto va bene così, i maschi a mensa. Siamo alla rieducazione, come è chiaro. Si ricomincia l'apprendimento dai colori e dalle forme delle cose: dall'alfabeto. Non è una buona idea insegnare ai maschi che le donne non si toccano nemmeno con un dito: le donne si toccano con tutte le dita, basta farlo con cura. Quelli che «la donna è sacra», i gentiluomini di casa come i fondamentalisti che la venerano e la velano sono gli stessi che poi la segregano, la violano, la comprano, la battono e la uccidono. Oppure se la tengono accanto a far bella mostra di sé, la sposano per esibirla o la nominano ministro per far bella figura, che non è peggio ma è triste lo stesso.

Le donne sono uguali. Molto diverse naturalmente ma, sotto il profilo delle possibilità e dei diritti, uguali, è persino imbarazzante doverlo ripetere ancora. Quindi ugualmente capaci di far bene e far male, di riuscire o fallire, di ricordare, di dimenticare, di mentire, di rispettare la parola, di insistere, di desistere, di essere fedeli o di tradire. E siccome prima di ogni adulto c'è un bambino e dietro un bambino c'è, se ha fortuna, una famiglia, eccolo il posto da dove si comincia. Il 70 per cento degli uomini trentenni, in Italia, vive coi genitori. Sette su dieci. Hanno a casa, quasi sempre, la madre. Sarebbe bello immaginare che si dividano equamente i compiti e le responsabilità ma temo che non sia così. L'accorato appello, a sostegno delle giovani donne che prima o poi accoglieranno nelle loro vite quei trentenni, è rivolto alle madri. Si potrebbe cominciare dal non essere particolarmente fiere di aver partorito (ormai molto tempo fa, tra l'altro) un figlio maschio. Non comunicare né con le parole né coi gesti che per la madre si tratta di un privilegio: addirittura non pensarlo. Considerare il fatto che si rifacciano il letto e raccolgano da terra i calzini non un gesto di generosità ma una semplice decenza. Che tirino l'acqua del wc dopo essere stati in bagno un obbligo; mostrare raccapriccio, fin da quando sono bambini per l'abitudine contraria a meno di non vivere in luo-

ghi desertici e non raggiunti da acquedotto. Non lasciarli
dormire fino a mezzogiorno o alle due perché hanno fatto tardi ieri sera, in fondo sono ragazzi. Se hanno fatto tardi, che dormano meno. Non essere fieri con gli amici della
quantità delle loro conquiste sentimentali e dell'eventuale
turnover, non considerare le concomitanze di fidanzamen-
ti multipli naturale segno di virilità, semmai uno sbanda-
mento, una fase passeggera. Non chiedergli cosa vogliono
per pranzo, eventualmente chiedergli di preparare il pranzo. Non denigrare la fidanzata di turno perché inaffidabi-
le, poco gentile, non premurosa. Per nessun'altra ragione,
comunque, meno che mai prendere informazioni sulle sue
doti muliebri e mostrarsi interdette se la ragazza ha intenzione di stare via sei mesi per uno stage a Boston. Se va a
stare da solo, ma tanto capita di rado, oltretutto gli affitti
sono carissimi e il lavoro manca, se comunque va a vivere da solo non offrirsi di lavare e stirare la sua biancheria
portata a sacchi due volte a settimana, meno che mai andare a raccoglierla a domicilio. Non svegliarlo la mattina
al cellulare perché non sente la sveglia, ha il sonno pesan-
te. Non andargli a portare le chiavi di casa che ha dimenti-
cato se lo fa di norma: una volta, due forse, poi basta. Non
andarlo a prendere perché non gli va di venire in autobus,
a meno che non se ne senta l'intima necessità dopo un'assenza di mesi. Non nascondere al marito le malefatte del
figlio, non fare la parte di quella che tutto comprende e
tutto risolve, quella che «non lo diciamo a papà», ma nemmeno lasciare che il marito – o il compagno, o il fidanzato,
o chiunque sia – sia quello che gioca alla playstation e vede la partita in tv col figlio maschio che così si divertono
e sono proprio simpatici quei due mentre la madre, quella rompiballe, sta di là in cucina sempre a lamentarsi e la
sorella rifà i letti e scrive un diario perché non può uscire

la sera. Ecco, ripartirei da qui. Poi magari fra una trentina d'anni vediamo anche di fare una legge contro i maltrattamenti domestici, contro la violenza segreta dentro casa, uomini che schiavizzano e segregano e picchiano le donne. Semmai però, se proprio serve, perché tanto sarebbe di certo inutile, a quel punto.

Don Federico, *canzone popolare per bambini:*

Don Federico mató a su mujer. La hizo picadillo. La puso en la
[sartén.
La gente que pasaba olía a carne asada. Era la mujer de Don
[Federico.
Don Federico perdió su cartera para casarse con la costurera.
La costurera perdió su dedal para casarse con el general.
El general perdió su espada para casarse con una bella dama.
La bella dama perdió su abanico para casarse con Don Federico.
Don Federico perdió su ojo para casarse con un piojo.
El piojo perdió su cola para casarse con una Pepsi-Cola.
La Pepsi-Cola perdió sus burbujas para casarse con una mala
[bruja.
La mala bruja perdió su gatito para casarse con Don Federico.
Don Federico le dijo que no y la mala bruja se desmayó.
Al cabo de tres días le dijo regular y la mala bruja se puso a llorar.
Al cabo de tres meses le dijo que sí y la mala bruja le dijo por aqui.

(Don Federico uccise sua moglie. La fece a pezzettini. La mise a
cuocere. / La gente che passava sentiva odore di carne cotta. Era
la moglie di Don Federico. / Don Federico perse la sua borsa per
sposarsi con la sarta. / La sarta perse il suo ditale per sposarsi
con il generale. / Il generale perse la sua spada per sposarsi con

una bella dama. / La bella dama perse il suo ventaglio per sposarsi con Don Federico. / Don Federico perse il suo occhio per sposarsi con un pidocchio. / Il pidocchio perse la sua coda per sposarsi con una Pepsi-Cola. / La Pepsi-Cola perse le sue bolle per sposarsi con una strega cattiva. / La strega cattiva perse il suo gattino per sposarsi con don Federico. / Don Federico le disse di no e la strega cattiva svenne. / Dopo tre giorni le disse «va bene» e la strega cattiva si mise a piangere. / Dopo tre mesi le disse di sì e la strega cattiva gli disse: vieni pure per di qui.)

VII

Ti do i miei occhi

C'è la madre seduta sul divano, la sera, che racconta una favola al figlio bambino. Ha in mano un libro d'arte, quello con cui lavora di giorno: fa la guida nei musei, i quadri sono il suo filo teso verso la bellezza. Stasera gli racconta di Orfeo ed Euridice, gli mostra il dipinto. «E allora Orfeo poté riportare sulla terra Euridice ma con una sola raccomandazione, una condizione: non avrebbe dovuto voltarsi a guardarla fino a che non fossero arrivati. Proibito: una regola. Però ecco, guarda, proprio quando sono sul punto di arrivare Orfeo non riesce a resistere e si volta a guardarla.» Non riesce a resistere. Non riesce a resistere, nemmeno lui. Che sia l'amore o la paura o il desiderio o la rabbia che ti acceca e perché ti succeda tutto questo importa, sì, ma non importa più tanto invece quando l'esito è uno solo: non riesci a resistere, è finita. Ecco, la chiave è tutta qui. È questa la storia.

Ti do i miei occhi è stato un film molto premiato. Al festival di San Sebastian nel 2003, sette premi Goya nel 2004. Non sarà forse un capolavoro, i cinefili e i critici avranno certo molto da obiettare. Un'opera prima, d'altra parte. E però chi l'ha visto non riesce a paragonarlo a nient'altro, né a raccontarlo davvero. Non se ne esce uguali. È la prima volta, qui, che si illustra per immagini così poeticamente, drammaticamente e limpidamente quale sia il legame viscerale e la ragione inspiegabile che unisce la vittima al suo aguzzino. Che scambia le parti e fa dell'aguzzino la vittima, poi della vittima l'aguzzino. Che le rimette a posto infine, per la tranquillità di tutti, ma che lascia un filo di inquietudine, in fondo. Che mostra come la violenza sia la massima delle debolezze e come la debolezza possa nascondere la forza. Che dà alla passione e alla rabbia lo stesso posto: quello di chi non riesce a resistere.

La storia, scritta e diretta da Icíar Bollaín, racconta del matrimonio di Pilar e Antonio, una coppia piccolo borghese che vive in una cittadina, Toledo, con un figlio di nome Juan. Antonio, il marito, lavora nel negozio di elettrodomestici del padre che lo paga poco e – lui pensa – lo sfrutta. Ha un fratello minore che volentieri lo canzona e – lui pensa – lo disprezza. Pilar è una splendida ragazza insaccata in tute domestiche, figlia primogenita di una madre debole ma formalmente ineccepibile con la sua messa in piega e i suoi saperi di buon vivere, e di un padre assente, violento, dispotico e ora morto. Antonio picchia Pilar, molto spesso e molto forte. Lei una notte scappa col figlio dalla sorella minore, la quale andando a prenderle a casa dei vestiti di ricambio scopre in un cassetto i referti del pronto soccorso. Il film comincia così, la trama d'ora in avanti non è molto importante. Ciascuno può sovrapporle la propria. Restano cruciali, invece, alcuni dialoghi, alcuni monologhi.

Dopo una domenica passata in campagna dal fratello di Antonio, i tre tornano in città in auto. Il bambino dorme dietro. Lui: «A cosa stai pensando?». Lei: a niente. «Che sono una merda in confronto a mio fratello?» No, a niente. «O mi dici a cosa stai pensando o non ci muoviamo di qui. Pensi che guadagno poco? Che sono un buono a nulla?

Dimmelo.» Smettila, Antonio. «Ecco, vedi, pensi che guadagno poco.» Il bambino si sveglia, piange. Il padre esce dalla macchina e comincia a prendere l'auto a calci. Madre e figlio, dentro, si abbracciano. Il giorno dopo Antonio torna a casa la sera con dei regali: un gioco per il figlio, un libro d'arte per la moglie. Le chiede: «Stai meglio ora? Sei più tranquilla?». Sì, risponde lei. Sono più tranquilla. Ha dei piccoli tic, le trema un labbro.

Il giorno dopo Pilar ha cominciato un nuovo lavoro, fa la guida per gruppi nei musei. Lui, in cucina, la sera: «Dove hai pranzato oggi? Perché non mi hai risposto? Ti ho lasciato tre messaggi sul cellulare. Cosa ti ho regalato a fare il cellulare se lo tieni spento? Se lo spegni io non so quello che sta succedendo e m'incazzo. Torno a pranzo, non ti trovo e m'incazzo». Scusa Antonio, non sapevo che saresti tornato a pranzo. «Certo, tu non sai mai niente, hai sempre la testa fra le nuvole, pensi solo alle stronzate dei tuoi quadri. E guardami in faccia quando ti parlo, hai capito? Guardami» urla. La tiene per il collo. Non riesce a resistere, di nuovo. Lei fugge, ancora, ma torna, come sempre: lo vuole, vuole stare con lui, vuole aspettare che cambi, non può resistere senza sentirsi addosso le sue mani. Senza il suo castigo e il suo perdono di carezze. La sequenza di quando era bambina.

Entra in scena uno psicologo, un gruppo di aiuto a chi commette violenza. Il centro si chiama Cerea, Centro di rieducazione degli aggressori. Rieducazione, oppressori. Gli uomini denunciati sono obbligati ad andare lì per decisione del giudice. Devono sottoporsi a una terapia. Devono in primo luogo – quando arrivano – compilare un questionario in dieci punti. S'intitola: «Inventario di idee comuni sulle donne». Devono rispondere sì, no, non so. 1) Le donne sono inferiori agli uomini. 2) Se il marito porta i soldi

a casa le donne devono essere sottomesse. 3) Il marito è il
capofamiglia dunque la donna deve obbedirgli. 4) La donna deve aver preparato il pranzo o la cena quando il marito torna a casa. 5) La moglie ha l'obbligo di avere rapporti
sessuali col marito anche quando non lo desidera. 6) Una
donna non deve contraddire un uomo. 7) La violenza non
è che una forma di preoccupazione dell'uomo verso la donna. 8) Se lui la picchia lei sa perché lo fa. 9) Se le donne volessero davvero saprebbero come prevenire gli episodi di
violenza. 10) Le donne sono solite provocare deliberata-
mente gli uomini. Se volessero davvero saprebbero evitar-
lo. Sì, no, non so.

Lo snodo della storia è il dialogo a quattr'occhi fra Antonio e lo psicologo del centro. Lui è andato a spiare Pilar mentre guida i suoi gruppi, al museo: sta mostrando un dipinto
di Tiziano, *Danae e Giove*. «Una specie di porno dell'epoca» dice un ragazzo del gruppo ridendo. Lei anche ride, dice sì, spiega. Antonio resta nell'ombra, la osserva parlare.
È furioso, non riesce a calmarsi, va al centro. «È diversa, è
diventata più bella, più elegante, parla di amore e di stronzate tutto il giorno» grida allo psicologo. «Perché cazzo va
in quel museo quando sa che mi irrita. Non la pagano neanche. Lo fa per provocarmi, è per questo. Le piace provocarmi. Un giorno o l'altro trova uno di quelli che vanno nei
musei a sentire tutte quelle stronzate e se lei s'innamora cosa succede, eh? A me che cazzo mi resta?» Psicologo: è tornata a casa da te, con te, perché dovrebbe andarsene? «E
perché dovrebbe restare, invece? Perché dovrebbe restare
con me? Di cosa posso parlare io con lei? Di ordinazioni e
di fatture di frigoriferi? Cosa le offro io? Una paga di merda, un appartamento di merda, vacanze coi miei genitori.
Questo le offro. Perché cazzo dovrebbe restare con uno come me?» Psicologo: forse perché la ami, perché la ascolti,

perché la incoraggi. Perché non la umili. Perché ti interessa quello che fa e che pensa e perché non la picchi. Antonio non sta più ascoltando. Gli vibra il mento, ha gli occhi lucidi di pianto, guarda fuori dalla finestra.

Icíar Bollaín, quarantenne madre di tre figli, dice che nel girare il film la sua preoccupazione principale era che fosse chiara «la differenza che passa fra capire e giustificare chi è violento. Capire è necessario, giustificare inaccettabile». In Spagna, dove la legge sulla violenza di genere, che in caso di aggressione punisce diversamente gli uomini dalle donne (più alte le pene per gli uomini che per le donne), è fortissima l'onda ostile contro gli «aguzzini». Molte associazioni femminili sono contrarie a che i soldi pubblici siano investiti nella loro «rieducazione», come il nuovo giovane ministro, una donna di trent'anni, propone. Dovrebbero piuttosto essere tutti dati alle vittime per aiutarle a rifarsi una nuova vita, sostiene una delle donne intervistate nel documentario *Amori che uccidono*, anno 2000. «Nella mia esperienza questi uomini, col tempo, tendono solo a perfezionare le loro aggressioni. È altamente pericoloso dire che sono loro le vittime» dice la donna, presidente di un'associazione. D'altra parte in Spagna sono state settantaquattro le donne uccise per mano del convivente nel 2007: più di una alla settimana. Tuttavia è solo «cercando di capire cosa succede nella testa di chi alza le mani» dice una ragazza nello stesso corto «che si può davvero stabilire un punto di partenza. Altrimenti puoi separare un uomo dalla sua vittima ma presto o tardi lui ne troverà un'altra». Anche lei è possibile che trovi un altro carnefice. Anche nella testa di chi sopporta le violenze è interessante capire cosa succede. Non è solo uno stato di necessità, non sempre e non solo. In *Ti do i miei occhi* la donna, Pilar, ha vissuto da bambina – si deduce dalle conversazioni con la madre –

una storia di sopraffazione paterna. Ripercorre da adulta
la sua vicenda di violazione e di dolore: ne ha bisogno, la
cerca così come cerca nello stesso uomo, un momento dopo, il rimedio, la cura, l'amore. La malattia e il balsamo sono la stessa cosa. Ti do le mie mani, ti regalo il mio seno,
sono tue le mie orecchie, ti do i miei occhi. Fai di me quello
che vuoi ma tienimi. È una possibilità. Sottotraccia c'è una
cultura profonda, un sapere non consapevole fatto di insegnamenti primari e di filastrocche da bambini, di consigli
delle vicine, di canzoni popolari e di sguardi. C'è un bolero
che fa da colonna sonora ad *Amori che uccidono*. S'intitola *Te
lo juro*, canta una voce di donna e dice così: «Non capii che
eri mio fino al giorno che ti persi. Solo allora vidi chiara-
mente quanto ti amavo: quando non c'era più rimedio per
me. Portami per strade di gelo e di amarezza, legami, spu-
tami se vuoi. Buttami la sabbia negli occhi, uccidimi di dolore. Amami, però». Ne esistono infinite registrazioni, una
anche di Placido Domingo dedicata ai «Classici popolari».
Gli uomini costretti dalla legge a partecipare ai gruppi di
aiuto, quelli ritratti nel film, parlano in variazione libera su
questo tema. Le donne sole, al caffè, anche. La madre della
protagonista le dice: «Il tuo dovere è tenerti tuo marito». I
bambini in cortile cantano filastrocche su mogli fatte a pezzi e bollite. Pilar cerca di spiegare ad Antonio che «la tua
rabbia è come la mia paura: toglie l'aria, ferma i rumori, è
bianca e cieca». Non avere più paura, Antonio. Non averne.
Se tu non avrai più paura di me né di te stesso ce ne potre-
mo andare insieme. Glielo dice con quegli occhi di febbre,
con quello sguardo corrotto dal desiderio e dal terrore. Il
desiderio della paura. La paura del desiderio.

Concorso di scrittura al femminile «Quello che ti vorrei dire», Comune di Casciana Terme, edizione 2008. Elaborato n. 15, Irene Guerrieri:

Ho trentacinque anni, ho cominciato a lavorare a quattordici anni in catena di montaggio, poi sono stata quindici anni in fabbrica. A diciannove mi sono fidanzata, a trentun anni (dopo dodici di fidanzamento) mi sono sposata. Al rientro dal viaggio di nozze ero incinta ... Quella mattina andai al lavoro con la gioia nel cuore, volevo dirlo a tutti. I miei colleghi si congratularono con me. Poi andai in ufficio dai titolari. «Accidenti, avevi paura di non essere in tempo?» Questa fu la reazione, mi gettò nello sconforto. Avrei dovuto aspettare, avevano ragione, dopo il matrimonio altre assenze. Avevano ragione loro, avrei dovuto aspettare ...

Vado alla Asl, faccio tutte le analisi, il libretto di gravidanza. Riempio moduli coi dati miei e dell'azienda. Torno al lavoro come sempre. Molto tempo dopo, ormai a novembre, mi chiamano dalla direzione provinciale del lavoro. «Pronto, come procede la sua gravidanza? Lo sa che il suo lavoro è nella categoria a rischio? Che ruolo ha in azienda?» Sono all'incollaggio, rispondo. Ma chi avrebbe dovuto dirmi del rischio? «La ditta. Domani vada, dica che l'abbiamo chiamata e si faccia assegnare un'altra mansione.

Lei non può stare alle colle.» Al lavoro, il giorno dopo, non mi hanno neppure ascoltata. Il tuo posto è quello e basta con le storie, hanno detto. La direzione provinciale continuava a chiamarmi, non sapevo più cosa fare. Dovevo dire che sì, mi avevano spostata? Dovevo mentire? Siamo andati avanti così una settimana, poi loro hanno detto: «Signora, bisogna che sia rispettata la legge. Lei deve cambiare mansione, si faccia trasferire in un altro reparto se no interveniamo noi». Al lavoro però mi hanno detto: «Ci stai infangando, con questa storia. Ci stai mettendo in mezzo. Perdi tempo e ce lo fai perdere. È una vergogna». Non sapevo più cosa fare...

Ho avuto il bambino, è bellissimo. Mi sono licenziata. «Volontariamente», sì. Ho lasciato il lavoro e ho avuto mio figlio.

VIII
Franca

Franca non ha mai raccontato la sua storia e non lo avrebbe fatto se non fosse che proprio da pochi giorni ha deciso di fare causa, se sarà necessario, al suo datore di lavoro. Finalmente, dice, ha deciso. Sono state anche le altre donne a convincerla. Quelle della fabbrica e quelle del consultorio dove è andata per abortire. La ginecologa, l'assistente sociale. Era la seconda volta che si trovava di fronte a questa scelta: il figlio o il posto di lavoro. «Una volta può capitare, due no.» La prima è stata undici anni fa. «Tenevo la contabilità in una piccola impresa alimentare qui in provincia di Napoli. Quarantadue dipendenti in tutto. Quando sono rimasta incinta avevo venticinque anni, non ero sposata, quello che adesso è mio marito era disoccupato e lo è ancora, sono sempre stata io a portare a casa lo stipendio, ma questa è un'altra faccenda e non me ne voglio lamentare. Lavoravo in ditta da un anno e mezzo. Avevo paura di dirlo al titolare perché lui si era raccomandato: io le do questo incarico di prestigio, le affido i conti, le do fiducia ma lei non faccia scherzi. Intendeva niente figli, sì, certo. Così sono andata e gli ho detto: guardi, dottore, io mancherò dal lavoro giusto il tempo del parto, glielo assicuro. Non voglio aspettativa, starò assente al massimo due settimane, faccia conto che siano ferie. Lui mi ha detto che no, che questo era contro la legge e che sarebbe stato obbligato a sostituirmi. Insomma non mi rinnovava il contratto. O il figlio o il lavoro. Così ci ho pensato tanto, ma tanto. Ho pianto tutte le notti ma per strada non potevo restare, avevo bisogno del lavoro. Alla fine ho detto ok, sono giovane. Questo figlio non lo posso tenere, ne verrà un altro.» E così Franca, era il 1996, è tornata nel suo ufficio, ha detto al titolare: tutto a posto, ho risolto. Si è meritata molti rallegramenti e una promessa di assunzione. È stata assunta quattro anni dopo. «Lui, quando mi ha fatto il contratto, mi ha dato da firmare anche una lettera di dimissioni in bianco. "Si usa così" mi ha detto. In caso di gravidanza mi sarei licenziata spontaneamente. Anche le altre l'avevano firmata. Solo una mi ha detto non farlo, vattene. Denuncialo. Ma io come facevo a denunciarlo? Gli avrei sparato dalla rabbia ma denunciarlo no, dove andavo dopo, chi mi avrebbe presa più?» Gli avrei sparato, dice proprio così. Per due anni è stato in tournée in Italia lo spettacolo di Paola Cortellesi, *Gli ultimi saranno ultimi*. È la storia di Luciana, operaia incinta al settimo mese alla quale non viene rinnovato il contratto. Un monologo delicato e durissimo. Luciana prende una pistola e spara, alla fine. Spara davvero. Racconta la sua vita, così simile a quella di Franca e a migliaia di altre. Non è mica matta, vuole solo quel figlio. Per questo spara, non vede cos'altro potrebbe fare. All'ultima replica, qualche giorno fa, nel teatro di Tor Bella Monaca, a Roma, la gente applaudiva in piedi. Poi fuori dal camerino della Cortellesi c'era la fila di donne che andavano a dire grazie. Tor Bella Monaca è un posto dove di carte in bianco, illegali, capita di firmarne parecchie. Oggi Franca ha trentasei anni. Giovane, ma non più una ragazzina. «Così quando ho visto che ero incinta sono stata felicissima, all'inizio. Proprio tanto felice. Però mio marito mi ha detto: ma sei matta? Vuoi perdere il lavoro? E noi come campiamo? Sa, mio marito è disoccupato. Gliel'ho detto no? Poveretto. È tanto una brava persona. Abbiamo discusso tutta la sera, poi lui mi ha detto vai a prendere la pasticca e io sono andata a cercarla. La pillola del giorno dopo, quella. Però era sabato e trovavo tutto chiuso: il consultorio era chiuso, in ospedale non c'era il medico addetto. In farmacia senza ricetta non me la davano. Ho pensato: vedi, è il destino. Non sapevo dove andare, ho chiamato una mia collega di lavoro un po' anche amica: a casa sua ci siamo trovate in quattro, alla fine, quella sera. Mi hanno detto tienilo e anche io ho pensato sì, questo bambino lo devo tenere. A mio marito ho detto: non ti preoccupare che risolvo tutto io. Non mi faccio licenziare, vedrai. Come mangiamo in due mangiamo in tre, non ti preoccupare. Poi, il lunedì sono andata al consultorio.»

Di tutto si parla, quando si parla di aborto, tranne che di questo: la pistola messa alla tempia delle donne da datori di lavoro che in maniera subdola o persino esplicita rifiutano di farsi carico degli obblighi di legge sulla tutela della maternità. Le carte di «dimissioni volontarie» firmate in bianco all'atto dell'assunzione sono una pratica sulla quale non esistono statistiche – sono illegali, coperte dalla paura – e tuttavia confermata da qualche rara ricerca sul campo: ne parla il documentario di Silvia Ferreri, *Uno virgola due*, per esempio. È una delle ragioni delle «culle vuote». Ne parla qualche isolato sindacalista, il tema è molto impopolare. Non ce n'è traccia, ovviamente, nelle relazioni del ministro della Salute sullo stato di attuazione della 194. Non può essercene, non sono dati che si raccolgono alla luce del sole. Nel suo ultimo resoconto il ministro ha riferito alle Camere che l'aborto diminuisce in modo più significativo dove sono più numerosi i consultori familiari e, per categorie, «tra le donne coniugate, occupate e con più alto livello socioeconomico e di scolarità». Le donne con un lavoro fisso abortiscono di meno, ecco, questo almeno è chiaro. Si è anche ridotto radicalmente l'aborto clandestino: fino a trent'anni fa, prima della legge, si registravano trecentocinquantamila casi all'anno, oggi se ne stimano attorno a ventimila, per il 90 per cento concentrati al Sud, dove il lavoro femminile è più precario e raro che nel resto del paese. La stima si fa mettendo insieme diversi indicatori fra i quali il numero di «aborti spontanei» registrati nelle strutture pubbliche: spesso dopo un aborto clandestino è necessario un ulteriore passaggio in ospedale per complicazioni o conseguenze. Quando gli aborti spontanei superano di molto la media nazionale è chiaro di cosa si tratti. Diminuiscono anche gli «aborti ripetuti», quasi la metà del numero atteso, secondo un astratto ma sperimentato e condiviso modello matematico. Segno che la prevenzione e l'educazione alla contraccezione funzionano nonostante lo svilimento e impoverimento dei consultori familiari. I consultori servono, funzionano, dovrebbero essere potenziati e messi a regime semmai, dice Michele Grandolfo, dell'istituto superiore di Sanità. Grandolfo lavora al Progetto obiettivo materno infantile e per questo si batte: «Perché da lì, dalle strutture pubbliche sul territorio, passa la crescita di consapevolezza delle persone». Franca, per esempio. Franca il lunedì è andata al consultorio. Ha detto: «Dovrei abortire». «Dovrebbe? Perché?» le hanno chiesto. Lei ha spiegato: «Mi licenziano se no». Lo ha detto all'assistente sociale, alla ginecologa. Poi lo ha detto al coordinatore chiamato subito a sentire questa storia. «Lui mi ha spiegato che il titolare non può licenziarmi e che la lettera in bianco che ho firmato non vale niente, che lo devo denunciare se insiste e che se insiste ancora gli facciamo causa e comunque il lavoro non lo perdo. Proprio così, ha detto: "facciamo". Poi mi ha fatto parlare con un esperto di leggi, uno del sindacato. Hanno detto che ci pensano loro, adesso. Ci parlano loro col titolare. Se capisce subito, bene, altrimenti lo portiamo in tribunale, hanno detto. Io non ho più paura, comunque. Qualche santo mi aiuterà, sono sicura. A mio marito gli ho già detto che è tutto a posto anche se non è proprio vero. Andrà a posto. Io però questo bambino lo tengo.»

Da Orrorismo ovvero della violenza sull'inerme *di Adriana Cavarero:*

È la pulsione di morte a definire la libertà dell'anima sovrana.
Morte mediante la quale, dirà George Bataille in L'erotismo, *quegli esseri discontinui che noi siamo, non senza voluttà e tremore, si dissolvono nella continuità dell'essere liberandosi dalla condizione che li inchioda a una individualità mortale.*
È presente in Bataille un concetto di comunicazione intesa come «distruzione reciproca».

IX

Dora. La luce nell'ombra

«Tutti pensavano che mi sarei uccisa dopo il suo abbandono. Anche Picasso se lo aspettava. Il motivo principale per non farlo fu di privarlo della soddisfazione.»

La casa è buia, le persiane sono chiuse. Fredda, i pochi mobili sono addossati alle pareti come se ci fosse stata una festa da ballo, lì, secoli fa. Alle pareti solo ritratti di lei. Che piange, che ha verde la pelle, che guarda con occhi accecati da spilli, che ha mani lunghe di uccello e artigli scarlatti. Che sta composta con le mani sul grembo, incrociate, della testa manca una parte come se un chirurgo l'avesse asportata, disturbava, era piena di buio e di dolore, mezza testa di meno e le labbra tese, lo sguardo diritto e preciso che non sorride mai. Il chirurgo – Lui.

«Ho migliaia di ritratti. Me ne ha fatti migliaia, quelli che vede, che si conoscono, sono una piccola parte, minuscola. Tutti gli altri li ho io. Ci metteva pochissimo, a volte due minuti per un disegno. Non era me che disegnava. Semplicemente: ero entrata nella sua linea di produzione. Vedeva qualcosa oltre me, qualcosa di sé. Ho migliaia di ritratti fatti da lui. Nessuno è Dora Maar. Sono tutti Picasso.»

Parliamo di Lei, signora. Non di Lui.

«Questo è bello da parte sua. Gentile. Temo però che sia

impossibile. A nessuno interessa sapere di me. Si aspettano
che parliamo di Lui, perché lui è stato dentro di me e questo
contamina per sempre, la gente pensa questo: mi frequen-
tavano, dopo, gli uomini, perché volevano passare da dove
lui era passato. Una conquista inaudita, una profanazione,
una forma di cannibalismo dei corpi, capisce? Come se ci
fosse una forma di contagio del genio: toccare la stessa carne, dormire nello stesso letto, mangiare alla stessa tavola.
Respirare dentro questa casa la stessa aria. Essere lui attraverso di me, poveretti. Non sanno quel che lui era. Solo io
lo so. Picasso era uno strumento di morte. Non era un uomo, era una malattia. Si nutriva del dolore che provocava
negli altri per alimentare il suo. Individuava tra milioni le
donne che avrebbero potuto essere crudeli con lui, più crudeli di lui, e questo chiedeva loro: uccidetemi, la vostra morte eventuale sarà un dettaglio nel percorso. Uccidete me: il
mostro, il Minotauro. Sarete nella gloria, nella storia. Nessuna gli è sopravvissuta, come vede. E però nessuna gli ha
dato la sofferenza che chiedeva: un poco, ogni tanto, qual-
cuna. Io, credo, più di tutte, non è affatto un merito né una
consolazione: semplicemente è così. Ma nessuna è stata mai
alla sua altezza, non così efferata e pura. Ogni tanto tornava da me per vedere se fossi impazzita, imbruttita, morta
di solitudine e di miseria: se per caso il suo abbandono non
mi avesse dato nuova forza per offenderlo e farlo rivivere.
Però no, vede. Eccomi ancora qui, gli sono sopravvissuta.
"Il mio perdono sarà il tuo castigo" gli dissi l'ultima volta.
"Tu sei la mia sventura, io te la lascio."»
    Mi racconti di Lei: lei com'era prima.
    «Facevo fotografie. Venivo dall'Argentina, per questo
con Picasso parlavamo spagnolo: la lingua della sua infanzia, anche questo gli ho dato. Mio padre è stato l'unico architetto a non fare fortuna in America in quegli anni. Era

ebreo iugoslavo, Markovitch il nostro nome. Mia madre cat-
tolica, di Tours. Tornammo in Francia che avevo vent'anni. Conobbi Paul Éluard. Poi George Bataille, diventammo
amanti. L'erotismo era la sua lingua. La perversione, diceva
mia madre. Ero molto giovane, imparavo in fretta. Sylvie,
la moglie di George, fu, molti anni dopo, la sposa di Lacan:
il mio medico dopo la rovina, dopo Picasso. Laurence, la figlia di George, divenne da adolescente la ninfa di Balthus,
il mio più caro amico. Di Bataille porto le stimmate, non di
Picasso. Però alla gente questo non interessa, riguarda solo me. La gente vuole sapere di lui: l'orco, il poeta, il nano,
lo spagnolo rovente, il gigante, il torero, il veggente, il mito. Io sono solo la donna che piange. Sono la donna verde
dei quadri del genio. Sono l'idea stessa del dolore: il mio, il
suo, il dolore del mondo. Mai, mai neppure in un solo schiz-
zo Picasso mi ha dipinta con l'ombra di un sorriso. Eppure
ridevamo, sa, insieme. Lui mi diceva, nell'amore: fermati
adesso, dimmi i miei segreti tu che li sai e io lo canzonavo,
gli raccontavo favole, suonavo il piano con le mani sul suo
corpo e lui rideva, ecco, sì, questo è il mio segreto e tu lo
sai. Ci conoscemmo al bar. La mia storia con Bataille era finita da poco, non è mai finita ma in quel momento lo era.
Stavo con un cineasta, in quelle settimane, però quel giorno al bar ero sola. Giocavo con un coltello. Giocavo a pian-
tarlo nel tavolo di legno fra le dita dell'altra mano. A volte
sbagliavo mira, ma direi di no, miravo giusto e mi tagliavo
il guanto. Bianco, il guanto. Il sangue lo sporcava subito e
molto. Picasso sentiva l'odore del sangue da lontano: lo ha
sempre fatto, con le bestie alla corrida, con le donne e con
gli uomini, nei luoghi di sventura suprema. Era inebriato,
ipnotizzato dal sangue. Si sedette accanto a me in silenzio,
rimase lì fermo per molto tempo. Nel bar tutti ci guardavano, io no, però: io non ho mai guardato lui, continuavo a

tagliarmi. Sentivo la sua presenza. Mi disse, a un certo punto: andiamo. Non era una domanda, era un ordine. Io allora alzai la testa e per la prima volta incrociai i suoi occhi. I suoi occhi non erano occhi: erano uno specchio dell'inferno. Gli dissi: dove? Lui mi rispose: in qualunque posto, signorina, purché non sia fuori di lei.»

È entrato così, quel giorno.

«Sì, è entrato quel giorno. Qualcosa in lui mi ha odiata fin dalla prima notte, incantandolo. Non guardarmi, mi diceva. Chiudi gli occhi, i tuoi occhi mi vedono e mi fanno paura: Picasso non può avere paura. Picasso fa paura: non ti faccio paura? Picasso uccide: lo sai tu che uccidere è più difficile che morire? Lo sai tu cosa vuol dire sparare in fronte? Sai quanto costa? Questo mi chiedeva nel letto. Uccidere è più difficile che morire.»

Vi sarete chiamati per nome, anche, dopo.

«Mai. Non l'ho mai chiamato per nome una sola volta. Non c'è niente di più esaltante per un uomo che essere chiamato col nome che gli ha dato la gloria. Era come un eroe, questo si sentiva. Un dio. Ma anche: non c'è niente come chiamarlo per cognome che lo faccia sentire niente altro che questo. La firma, il suo marchio, la sua fama. Mai un uomo davvero, però. Mai il suo nome da bambino, mai lui prima di Picasso. Lo avrei fatto, pensavo, se fossimo diventati vecchi insieme e avesse deposto le armi. Non c'è stato il tempo. Neppure il modo, in verità. Non è stato possibile. Non voleva, in realtà. Quando facevamo l'amore in terra accanto alla scala su cui saliva quando lavoravamo, insieme, a Guernica mi diceva: ecco, guarda, ecco quello che sono. Un idraulico: sturo gli ingorghi altrui ingorgandoli dentro il mio che non ha cura. Sono il miglior idraulico del mondo. Poi si riaggiustava la cravatta, si accendeva un'altra sigaretta e tornava a dipingere. Aveva un'altra donna, in quegli anni. Molte altre ma una da cui passava il fine settimana sempre. Marie-Thérèse, andava a casa sua il venerdì. Lei era bionda e morbida, fatta di burro e docile, muta. Gli ha dato una figlia, Maya. Io andavo sotto casa loro in taxi, il sabato mattina, e restavo lì a volte anche due giorni a guardare la finestra. Ma questo lui non l'ha mai saputo. Ci ha ritratte sullo stesso divano, un giorno, nella stessa posa dopo averci convocate e poi amate entrambe. I quadri sono lì, hanno la stessa data, si riconosce la stessa finestra, la stessa stanza. Lei bianca che ride. Io viola che piango. Lei tonda, io spigolosa come i frammenti di uno specchio che taglia. Sapevamo bene una dell'altra, certo. La sua crudeltà consisteva nel mostrarci accanto, sulle tele, insieme. Poi diceva: i pavoni si occupano della loro ruota, non della platea, se no non vivrebbero accanto a un pollaio. Cosa volete da me, che altro volete da me oltre a questa ruota: non vi basta? Era collerico. Elettrizzante e terrorizzante. Era desiderio e distruzione. Fragilità e potenza di morte. Amava le civette perché vedono nella notte. Aveva paura del buio.»

Di lei disse: sei stata la più utile.

«Già, disse così. "Non ho mai conosciuto nessuno utile quanto te. Sei tutto ciò che si può desiderare: un cane, un topo, un uccello, un'idea, un temporale. Sei l'ideale, sei un grande vantaggio da avere accanto quando uno si innamora." È stata la sua dichiarazione postuma. Me lo disse quando già era arrivata Françoise, la donna con cui se ne andò. Però anche in questa frase, vede: l'innamorarsi prescinde dall'oggetto, è un moto proprio del soggetto. Io ero utile, ero arrivata al momento opportuno, proprio mentre lui si stava innamorando a prescindere da me. Ci siamo visti per anni, durante e dopo Françoise, prima e dopo i suoi altri due figli, dopo ancora, nella sua breve e nella mia lun-

ga solitudine. Mi diceva: non sarà più come prima, sei solo un ricordo. Però tornava. Tornava sempre. Denigrava
il mio lavoro. Avevo ripreso a dipingere. Lui entrava qui,
prendeva in mano la tela: troppi segni per non dire niente,
diceva. C'è sotto la tua firma, è tutto quel che hai, difendi-
la. E anche, altre volte, al telefono: vedo che non mi cerchi
per essere cercata, brava, è così che si fa. Comunque: vedo
dai tuoi quadri che sei stanca.»

Lei cosa faceva, in quegli anni?

«Resistevo, mi curavo. Provavo a sopravvivere a Picasso. Quando arrivò la giovane Françoise esibendo la sua gravidanza, un giorno, temetti di essere stata davvero colpita
in fronte. Io non ho avuto figli, non potevo averne. Picasso non ha fatto che figli nella vita: io ero la sua donna ste-
rile, l'aridità, il deserto, io ero il luogo dove si getta il seme
e non fiorisce. Gli è servito, questo, nell'arte. Si può dire:
è stata una tappa. Era la mia vita però: anche questo era.
Françoise non ha saputo niente di lui, non l'ha mai avuto:
si limitava a essere gravida, spingeva in fuori la pancia di
Picasso come fosse l'ultimo capolavoro del genio, il capolavoro sul suo corpo. Ebbi paura in quei mesi, in quell'anno.
Ricordo molto poco. Un giorno mi trovarono nuda per le
scale: mi raccolsero certe coppie in abito da sera che scen-
devano da una festa al piano di sopra, mi riportarono a casa. Un'altra volta mi successe qualcosa al cinema, ebbi una
crisi, credo. Vennero a prendermi Paul Èluard con Nush, sua
moglie. Nush era stata l'amante di Picasso, come tutte. Una
donna incantevole, così fragile. Sembrava che un'onda sulla spiaggia avrebbe potuto portarla via. Sembrava incarna-
re il niente e il tutto che siamo. Era malata, era l'idea della
malattia dell'umanità. Era magnetica. L'ho ritratta, una volta: ho sovrapposto alla sua immagine quella di una ragnatela. Era una donna ragno, questo: era una donna che tesse

a testa bassa la sua tela e non si cura del mondo, piccola, minuscola e potente. Mi presero e mi portarono in clinica. In ospedale, sì. Ci sono rimasta molto. L'elettroshock è come morire, poi rinascere. È come tornare vivi dopo la morte: una sorpresa, un volo, un dolore e un sollievo. Poi Paul mi ha portata da Lacan: aveva poco più di quarant'anni allora. Era bello. Era sicuro. Disse che mi avrebbe guarita: il tuo sangue Teodora non mi interessa, mi disse. Mi chiamava per nome. Il mio nome è Teodora. Andai a vivere da lui. Portai con me la gatta che mi aveva regalato Picasso. I gatti non mi sono mai piaciuti e Picasso lo sapeva, ma i miei gusti non avevano importanza. Si chiamava Moumoune, la detestavo ma mi dispiacque quando morì. In fondo era un essere vivo e la vita ha un pregio, sempre.»

Vi siete visti ancora, dopo, con Lui?

«Ma certo. Mi cercava per colpirmi. Non poteva farne a meno. Un giorno, quando Françoise lo lasciò portandosi via i due bambini, Claude e Paloma, mi fece arrivare in rue Savoie, a casa, una cassa enorme di legno, le assi inchiodate. Ebbi bisogno di un amico per aprirla, ci volle del tempo. Fuori dalla cassa c'era scritto di suo pugno: mittente, Picasso. Si può immaginare l'attesa del mio amico, del portinaio, di chi l'aveva vista arrivare. La mia, anche. Ci mettemmo un'ora ad aprirla. C'era una sedia, dentro. Orribile, la sedia più brutta che abbia mai visto. Di ferro e corda, con due palle di legno, troppo grande, scomoda. Una sedia impossibile da collocare in alcun luogo. Credo che abbia pensato che nessuno avrebbe avuto il coraggio di dire che un oggetto regalato da Picasso e con così tanta cura e lavoro, imballato immagino da lui medesimo, fosse orrendo. Avrebbero pensato: lui vede la bellezza dove noi non vediamo. Invece no: era una sedia orrenda ed era un messaggio segreto per me. Solo tu, tra tutti, sai che è orrenda: questo voleva dirmi. Tempo dopo fece in modo di incontrarmi a casa di amici. Venne perché sapeva che c'ero. "Hai un bell'aspetto" gli dissi. "Se tu potessi vedermi come mi vedo io ti si spezzerebbe il cuore" mi rispose. "Ne sono certa" dissi allora io. Mi chiamò tesoro e amore per tutta la serata. A un certo momento disse ad alta voce, perché tutti gli ospiti sentissero: "Vieni, ho da dirti qualcosa che è solo per te e non voglio che nessuno ci senta. Una cosa molto intima, nostra. Andiamo in quell'angolo laggiù". Quando fummo arrivati lui si voltò e con una piroetta, quasi una danza, tornò indietro ridendo lasciandomi lì da sola. Restai in piedi in quell'angolo un tempo lunghissimo, tutti mi guardavano, si era fatto silenzio. Poi tornai indietro verso la mia poltrona, a testa alta, ripresi il mio posto. Lui allora tornò a rivolgersi a me ad alta voce: "Andiamo insieme a dormire da Balthus stanotte? Ne sarebbe felice?". Esitai. Lui disse per favore, sarebbe un regalo. Dissi va bene, lasciami chiedere al mio accompagnatore se gli dispiace tornare da solo: gli dissi sì, insomma. E allora lui fece una scena madre delle sue: "Il tuo accompagnatore!" urlò due o tre volte, con tono di prendermi in giro ma anche offeso. Senza salutare nessuno aprì la porta e se ne andò. Un mese dopo aveva incontrato Jaqueline. La donna-domestica dei suoi ultimi anni. La sposò, addirittura. Lei lo recluse in un castello. D'altra parte ormai era vecchio, Picasso. Era facile allora tenerlo chiuso. Non l'ho visto mai più. È morto da molti anni, ormai. Io, come vede, non sto male. Ho ritrovato la mia religione di bambina. La fede è stata una grande amica, non sapevo di averla.»

C'è un suo ritratto degli anni Trenta, però, un ritratto di Picasso che s'intitola *Dora pro nobis*. Non aveva fede allora?

«No, assolutamente no. Ero comunista, ero molto più a

sinistra di Picasso in quegli anni. Non so perché intitolò così quel ritratto. Dipingeva quel che di sé vedeva negli altri, gliel'ho detto. Avrà visto nella mia indole qualcosa di religioso. Mi diceva che ero grave, misteriosa, dura, altezzosa, commovente. Mi dipingeva come una sfinge: sei distante, sei luminosa, non so chi tu sia, sei così severa e addolorata. Questo mi diceva quando ridevamo nel letto. Sei la mia madonna disperata: disperata per me, per te, per l'umanità intera. Dora pro nobis, avrà inteso questo. Ma non posso continuare a pensarci, la prego. La mia relazione con il resto del mondo non può continuare a dipendere dal fatto di aver tenuto dentro di me Picasso, un giorno, e di aver visto la mia e la nostra morte dentro di lui. Non ho molto da offrirle, per il resto, mi scusi. Non sono attrezzata per ricevere ospiti. Bevo solo acqua da molti anni. Ne vuole?»

(Dora Maar è nata nel 1907 ed è morta nel 1997. Non ha lasciato eredi. Il suo immenso patrimonio è andato all'asta dopo una infruttuosa ricerca di discendenti in Iugoslavia. Una contadina parente di lontano grado, rintracciata da un'agenzia specializzata nel ramo, disse di non conoscere Picasso – «mai sentito nominare» – e rinunciò chiedendo di non essere ulteriormente importunata. Oltre centocinquanta tele erano stipate nella casa parigina di Dora Maar insieme a sculture, scatole di fiammiferi, assi del wc e tappi di bottiglia incisi e decorati da Picasso. Questa intervista è di dieci anni successiva alla morte della protagonista e naturalmente è immaginaria. Tutto ciò che vi è riportato è invece autentico: parole, circostanze e dialoghi.)

Da Amazzoni col pennello *di Victoria Combalía, storica dell'arte. Edizioni Destino:*

Artemisia Gentileschi era la primogenita di Orazio (1563-1639), pittore emulo di Caravaggio. Ebbe fin da bambina una completa e rigorosa formazione da parte del padre. Come si usava tra gli artisti dell'epoca – in specie per le donne, alle quali era vietato l'accesso a molte discipline accademiche – Orazio scelse un tutore per sua figlia: il pittore Agostino Tassi, suo amico e collaboratore. Una delle prime opere di Artemisia fu la già eterodossa Susanna e i vecchi *(1610), tela in cui Susanna è seduta su una scala vicino a un muro basso dal quale si affacciano due vecchi che la guardano, i corpi grandi come una montagna, e le sussurrano qualcosa con aria allusiva. Susanna, la cui nudità precede il realismo delle bagnanti di Courbet, volta la testa visibilmente infastidita da ciò che sente ... Nel 1612 Agostino Tassi fu accusato da Orazio Gentileschi di aver violentato Artemisia che aveva allora diciannove anni. Il processo, che cominciò nel maggio di quell'anno, durò cinque mesi. Artemisia fu torturata per verificare la veridicità della sua testimonianza. Tassi fu assolto dall'accusa di violenza. Artemisia si sposò frettolosamente un mese dopo il giudizio con il ricco fiorentino Pietro Antonio di Vincenzo Stiattesi. Si trasferì col marito da Roma a Firenze.*

X

Lee

Nel 1907, lo stesso anno in cui a Parigi Pablo Picasso dipinge *Les demoiselles d'Avignon* e Dora Maar viene al mondo, nasce a Poughkeepsie, New York, Elisabeth Miller.

Elisabeth (Li Li, infine Lee) è figlia di un proprietario terriero di origine tedesca, industriale divenuto ingegnere per corrispondenza, fotografo per passione.

Unica femmina fra due fratelli.

Il padre comincia a fotografarla nuda fin da bambina, i biografi parlano di una possibile relazione incestuosa. Poserà nuda per lui tutta la vita, anche da adulta.

Quando ha sette anni la madre si ammala e manda la bambina a vivere da parenti in città. Un giovane della famiglia la violenta.

Contrae la gonorrea. Non esistono antibiotici, la malattia si cura con dolorose docce interne e irrigazioni. I fratelli raccontano che sentivano le grida della piccola ogni mattina, in bagno, mentre la madre la curava. Per mesi qualsiasi cosa tocchi deve essere sterilizzata.

Da adolescente è espulsa da scuola per cattiva condotta.

La famiglia la manda a Parigi a studiare teatro, dopo un anno torna a New York. Un giorno per strada la investe una macchina. La soccorre Condé Nast, l'editore. Lee è una giovane donna di spettacolare bellezza, il profilo di una divinità greca. Lui le propone, mentre la aiuta ad alzarsi, di posare per «Vogue».

Diventa modella, la più richiesta dalle riviste di moda, ma vuole essere fotografa. Torna a Parigi, ha in tasca l'indirizzo di Man Ray: 31 bis, rue Campagne Première. Lui non è in casa. Lo incontra per caso al Bateau Ivre, il caffè lì vicino. Voglio lavorare con lei, gli dice. Non è possibile, sto partendo per le vacanze, lascio oggi la città, risponde lui. Lo so, vengo anch'io.

È il '29. Lui ha diciassette anni più di lei. Vivranno insieme tre anni.

Sviluppano insieme le foto in camera oscura. Un incidente fa scoprire a Lee la tecnica della solarizzazione. Qualcosa, al buio, le urta una gamba: forse un topo, o un gatto. D'impulso accende la luce. Le foto immerse nella vaschetta dei liquidi, nudi della famosa cantante Suzy Solidor, prendono luce e acquistano un contrasto intenso e poetico. È la tecnica che renderà celebre Man Ray.

Lui è ossessionato dall'impossibilità di averla davvero per sé: la fotografa a pezzi, il collo, un occhio, la bocca. «Mi odio quando cerco di afferrare in te ciò che ammiro e che è così raro.»

Lei è la statua di Jean Cocteau nel film *Il sangue di un poeta*. L'arlesiana di Picasso (per sei volte, in sei quadri). Le labbra nel cielo di Man Ray, e il collo che sanguina, e l'occhio dietro il metronomo.

Lascia Man Ray, apre uno studio da sola, conosce a Saint-Moritz – sulla passeggiata dove si incontrava Charlie Chaplin – un silenzioso uomo d'affari egiziano, Aziz Eloui Bey. Lo sposa, va a vivere con lui in Egitto.

Fotografa il deserto, soffre la vita di moglie borghese di

palazzo. Nell'estate del '37 torna, da sola e col consenso del marito, in vacanza a Parigi. A una festa in maschera conosce Roland Penrose, critico d'arte e collezionista. La mattina seguente si svegliano nello stesso letto. Due settimane dopo è da lui in Cornovaglia. Vanno insieme da alcuni amici a Mougins a trovare Picasso che passa lì l'estate con Dora Maar. Gli amici sono il suo ex amante Man Ray con la nuova compagna Ady Fidelin, Paul e Nush Éluard. Penrose scatta la celebre foto *Pic Nic*, le tre donne attorno a un tavolo sedute a terra a seno nudo, gli uomini vestiti. Picasso e Lee diventano amanti. Dora lo sa, Penrose anche.

Torna in Egitto, per poco. Nel '40 è di nuovo in Inghilterra da Penrose. Ricomincia a lavorare per «Vogue», si specializza in ritratti: Margot Fonteyn, Bob Hope, Clark Gable, Henry Moore. Si annoia. Chiede al giornale di poter andare al fronte come fotografa di guerra.

Parte. Conosce il fotografo americano David Sherman, molto più giovane di lei, inviato di «Life». Diventano amanti, un *ménage à trois* di cui Penrose diceva: «Un poco mi secca quando torno a casa trovare il suo pigiama sotto il cuscino».

È accreditata da «Vogue» per lo sbarco in Normandia. Arriva a Omaha con David poco dopo il D-day. Assiste in diretta alla presa di Saint-Malo sotto le bombe.

Entra nelle prigioni della Gestapo e fotografa i sopravvissuti. Muti, pazzi. È la prima donna fotografo a entrare a Dachau. Fotografa montagne di morti, escrementi, scheletri ancora vivi e kapò suicidi. Un medico militare di Dachau: «Fece foto che io non ero riuscito a scattare». A Monaco cerca con Sherman una casa dove dormire, la trovano: è l'appartamento di Hitler. Lee si infila nella vasca del dittatore, Sherman la ritrae così: nuda, gli anfibi sul tappetino, la foto di Hitler accanto al sapone.

Dopo il '45 si spinge a est. Austria, Ungheria (la arrestano i russi), Renania. Soffre d'insonnia e beve molto. Le sanguinano le gengive. È sola. Ha con se solo un gatto che porta sempre dentro la giacca militare. Il gatto si chiama Warum. In tedesco significa «perché». Muore investito da un'auto: Lee si chiude in una stanza e piange per giorni. Torna a casa, da Penrose.

Nel '46 resta incinta. Partorisce il suo primo e unico figlio a quarant'anni. Non si usava, all'epoca. Il giorno prima del parto, sicura di morirne, fa testamento. «Avrei dovuto rompere il silenzio che mi si impone in fatto di sentimenti e dirti quanto ti ho amato» scrive a Penrose.

La fama del marito nel dopoguerra cresce, la sua si spegne.

Sta in casa, si dedica al figlio e alla cucina. Soffre di insonnia e beve di notte. Prepara da mangiare di giorno: una volta, per esempio, un pesce blu in onore di Mirò. Lava gli spinaci in lavatrice, i lamponi con il whisky. Diventa una cuoca di fama. Vince concorsi internazionali di cucina, scrive ricette per riviste. Si specializza in dolci.

Ingrassa.

Muore di cancro. Nell'ultima foto, il giorno prima, è a letto con una fascia azzurra come i suoi occhi che le tiene i capelli, sorride.

Antony Penrose, suo figlio, ha scritto di lei: «È sempre stata incapace di avere relazioni stabili coi suoi amanti. Di tutti gli uomini che ha conosciuto quello che amò più di tutti fu, senza alcun dubbio, suo padre».

Lei, di se stessa: «Sembravo un angelo, fuori. Mi vedevano così. Ero un demonio, invece, dentro. Ho conosciuto tutto il dolore del mondo, fin da bambina».

«Le Figaro», 28 marzo 2008:

Si è aperto il processo a Michel Fourniret, sessantasei anni, serial killer delle vergini noto come «il mostro delle Ardenne». L'uomo è accusato di aver stuprato e ucciso almeno sette giovani donne e bambine con la complicità della moglie Monique. I delitti potrebbero essere molti di più. I coniugi si erano conosciuti per posta mentre lui, in carcere, stava scontando una condanna per violenza sessuale e avevano stretto un patto criminale: lei lo avrebbe aiutato ad avvicinare e stuprare giovani vergini, lui avrebbe ucciso il suo ex marito. Nella corrispondenza usavano darsi nomi affettuosi: Fourniret chiamava la moglie «Nanoutcha», lei chiamava lui «Shere khan» come la tigre del Libro della Giungla. Uscito di prigione nel 1987, Fourniret uccise il componente di una banda di rapinatori e, dopo aver saputo in cella il luogo dove era nascosto il tesoro, si impossessò dei lingotti d'oro. Comprò un grande castello turrito nelle foreste di Reims. Ha avuto dalla moglie un figlio: Selim. Nel corso dei delitti seriali viaggiava con la moglie in auto, una Peugeot, in cerca di fanciulle. Simulavano un guasto della macchina, fingevano di chiedere informazioni o raccoglievano autostoppiste. La donna tranquillizzava le giovani, le rassicurava con la sua sola presenza. In almeno due casi

nel sedile posteriore viaggiava con loro il bambino. Monique tro-
vava sempre, nelle conversazioni amichevoli, un modo di verifi-
care la verginità delle ragazze. Sono state così rapite, stuprate e
uccise: Isabelle, 17 anni, Fabienne, 20 anni, Elisabeth, 12, Nata-
scha, 13 e Mananya, 13 e almeno altre due minorenni. La donna
attribuisce al marito undici sequestri e ha indicato i luoghi dove
sarebbe sepolta la loro giovane domestica. Fourniret, amante del-
la letteratura e buon giocatore di scacchi, ha dichiarato in istrut-
toria di aver avuto bisogno tutta la vita «di almeno due vergini
all'anno». Dalle perizie psichiatriche risulta che Monique abbia
un quoziente di intelligenza superiore a quello del marito. Lui,
tuttavia, dice di lei «è una povera sbandata che ho manipolato
senza scrupoli».

XI

Barbablù e le spose cadavere

La barba di Barbablù non doveva essere blu, non credo. Doveva essere così nera da sembrare blu. D'altra parte si dice del cielo, a volte: così nero, quasi blu. Come se il blu aggiungesse qualcosa di più fondo ancora e, insieme, di vivo. Come se ci fosse una luce nel nero.

Barbablù sposava le ragazze e le uccideva, poi nascondeva i loro corpi in cantina. Così, in serie. Il primo serial killer delle favole. Marito omicida seriale, impunito. Perché lo facesse, la storia non lo spiega: non per soldi, era ricco e viveva in un castello. Non per gelosia, le sue mogli non lo tradivano né potevano avere la tentazione di farlo: vivevano isolate nel maniero, sole con lui. Non per rabbia, non per reazione a qualche episodio che potesse scatenarla: niente di tutto questo dice la storia. Solo che le uccideva.

L'anno scorso sono uscite in Italia quattro nuove traduzioni e due rielaborazioni della favola. Molte, per un classico. Una versione col cd, una in rima, una tradizionale coi disegni moderni, una moderna coi disegni tradizionali. Chissà perché tutto questo Barbablù proprio adesso.

In rete, nei blog, nei siti dedicati all'infanzia e nei forum tra educatori e genitori si rianima il perpetuo dibattito: perché si dovrebbe leggere ai bambini una favola che fa così tanta paura. Qualcuno dice: tutte le favole fanno paura. Vogliamo parlare di *Cappuccetto rosso*, di *Hänsel e Gretel*, dei sette nani? Qualcun altro dice: la paura è necessaria al suo superamento. Bisogna accompagnare i bambini nella paura e portarli per mano fuori da lì: a poco a poco, con dolcezza. Insegnar loro a dire: ho paura. Dir loro: anche io che sono grande ce l'ho, poi passa.

Qualcuno ancora, infine, dice: sì, ma questa fiaba fa davvero troppa paura, e poi non ha morale. Qual è la morale di *Barbablù*, cosa insegna: a non disobbedire al marito cattivo? A farlo se proprio non si riesce a vincere la curiosità di aprire quella porta e poi aspettare che qualcuno venga a salvarti? I fratelli della donna, a cavallo: i due cavalieri al galoppo, sono loro che arrivano a uccidere il mostro e a portarla via. Dunque alla fine, vedete, la ragazza viene data in sposa dalla sua famiglia all'uomo misterioso e potente, passa dalla tutela dei genitori a quella dell'orco, torna infine sotto quella dei fratelli. La fiaba spiega che le donne sono disobbedienti e curiose: non sanno rispettare un divieto né resistere a una tentazione, come Eva. Che sono sedotte dal denaro: il castellano è vecchio e brutto ma molto ricco. Che hanno bisogno di qualcuno per cavarsela, comunque. Non un granché.

Sulla copertina del grande fascicolo delle «Fiabe sonore», nelle edizioni Fabbri con il vinile da mangiadischi di quando ero bambina, ricordo perfettamente che l'Orco non c'era. Si vedeva, invece, una donna di spalle che sventolava un fazzoletto bianco e una carrozza lontano. Coglieva l'attimo dell'errore fatale o forse del peggiore inganno: il momento in cui la madre si congeda da sua figlia, la manda in carrozza al suo destino nel castello, la saluta da lontano. La madre sa, pensavo. Questo suggerisce l'immagine, il fatto che la donna sia di spalle e non se ne veda il volto.

La madre sa cosa Barbablù farà alla figlia, in fondo lo sa. Immaginavo che piangesse, infatti. Doveva essere questa la ragione per cui il disegno ne nascondeva il viso: doveva essere senz'altro quello di una madre che piange.

La fiaba l'ha scritta Charles Perrault alla fine del Seicento. Perrault era un ricco nobiluomo alla corte di Francia. Aveva un fratello gemello morto a sei mesi e un'incredibile vocazione a inventare storie venate di terrore: *Cappuccetto rosso*, *Pollicino*, *La bella addormentata*. *Barbablù* non era però del tutto inventata. Poteva ispirarsi alle mogli di Enrico VIII, certo, ma più probabilmente – dicono gli studiosi – alla spaventosa storia di Gilles de Rais: erede di una fortuna colossale, eroe nazionale alla presa di Orléans e compagno d'armi della Pulzella, salito infine sul patibolo e impiccato per aver violentato e ucciso in un decennio, nel Quattrocento, alcune centinaia di ragazzi. Bambini, non mogli. Ma i bambini non sono un oggetto di desiderio adatto a una favola, non proprio. Le donne sì, lo sono: ecco allora che per dire ai bambini di stare attenti all'orco del castello bisognava inventare una storia plausibile. Senza spiegazione, certo, ma almeno accettabile.

A Collodi la favola piacque moltissimo, fu lui a tradurla in italiano. Pochi anni dopo scrisse *Pinocchio*: anche la fata (che non è proprio una fata buona, anzi è piuttosto severa) ha i capelli blu. Turchini, blu chiaro. I fratelli Grimm ne fecero una versione più poetica e meno misogina. La moglie non porta una chiave con sé in cantina ma un uovo: quando si spaventa nel vedere i cadaveri, le cade di mano e si rompe, prova inconfutabile della disobbedienza. Inoltre si salva da sola, fugge. Almeno i fratelli a cavallo ci vengono qui risparmiati. Qualche anno fa Paolo Poli ne fece una magnifica versione teatrale, con scene di Lele Luzzati. Faceva ridere, persino. Branduardi ne ha scritto una canzone: se non volevi che aprissi perché mi hai dato la chiave? chiede, pratica, la sposa. Ma come perché, è la prova da superare, no? È il diavolo tentatore.

Da allora si contano decine di nuove versioni fino alle ultime quattro recenti. La mia preferita è quella di Chiara Carrer. L'ha reinventata, è un incanto. L'uomo blu è solo un'ombra sul muro. Le donne scompaiono dal paese. Prima una, sparita nel nulla. Poi arriva sua sorella. Ha in mano sia l'uovo che la chiave, tutti e due. Sa che non deve aprire la porta, lo fa. «Un'ascia. Una vasca. Una pozza di sangue rappreso. Corpi appesi alle pareti. Un urlo. L'uovo e la chiave sfuggono dalle sue dita. Scivolano giù nella pozza di sangue ai suoi piedi. Un'ombra. Lo sguardo cupo. L'uomo dalla barba blu è tornato. Lui sa: l'uovo, la chiave, le dita. La donna trema, sa che è finita.» Un'altra donna ancora, adesso. Tocca alla terza sorella. Si chiama Rosa, come «una spina che gli toglierà la vita». Anche Rosa usa la chiave, apre la porta, getta lo sguardo. Però Rosa, la più piccola delle tre, ha l'anima, il cuore e la mente più grandi. Guarda, non trema. «Non un urlo, ma gli occhi ora sono più grandi.» Teste. Braccia. Seni. Gambe. Le sue sorelle fatte a pezzi. Lei le rimette insieme, silenziosa. Le nasconde. Poi ordisce un piano. Inganna l'orco. Si traveste, va via sotto i suoi occhi senza che lui la riconosca. Vince lei. Vince perché ha saputo guardare nel fondo del pozzo dell'orrore e rimanere ferma. Vince chi sa aprire la porta e guardare «con occhi più grandi». Non chi rifiuta di vedere, non chi per paura o per soggezione non apre neppure, non vuol sapere né sentire. Vince chi apre, chi guarda, chi resta fermo e guarda meglio, poi richiude, torna su per le scale. Vince chi va all'inferno e ritorna. Vince chi vuol sapere e poi sa cosa farsene, anche, del suo nuovo sapere. Chi soffre e trova un rimedio.

Resta l'eco del blu. Anche la *Sposa cadavere* è blu. Celeste il suo vestito, blu l'aura che la circonda. Non c'entra, apparentemente, con *Barbablù*, ma invece c'entra. È pur sempre un cadavere di sposa. Il film è di Tim Burton. Uno dei più belli degli ultimi anni. Un cartone, un'animazione. I bimbi ne sono rapiti. Spaventati, un poco, certo: ma rapiti. Gli adulti, quelli che sanno ascoltare le favole, ammaliati. La sposa cadavere è una morta, appunto. L'ha uccisa il suo promesso sposo il giorno delle nozze. Per denaro, in questo caso c'è un perché. Lei muore a va nel regno delle anime, sottoterra: un posto macabro ma divertentissimo e poetico, più vero del vero, più vivo dei vivi. Un posto dove si mangia e si balla e si ama e si perde un occhio ogni tanto, cade dall'orbita ma lo si raccoglie e si rimette a posto. La sposa cadavere riceve, per errore, l'anello di Victor, vivo promesso sposo a una viva, che vaga per il bosco in un momento di spaesamento: di paura delle nozze, diremmo. Victor ha con sé la fede, la appoggia su un ramo del bosco, quel ramo è però il dito della sposa cadavere che spunta da terra. Lei, felice di sentirsi finalmente sposata – voluta, amata, non respinta, non uccisa – da quel gesto involontario, tira Victor verso di sé e lo porta nel suo mondo, amandolo perdutamente dal primo istante. Si sente – è – sua moglie. Tutti abbiamo l'impressione che per Victor sarebbe meglio restare con lei: è più bella la vita lì sotto, sono più nobili e puri i sentimenti, è più grande la passione. Invece. È tremenda la sorte della sposa cadavere col suo vestito stracciato, il suo vestito blu. Uccisa la prima volta, lo sarà anche la seconda. Di propria mano, questa volta. È lei stessa a togliersi anche «la morte», a svanire, a dissolversi in mille farfalle che si perdono in cielo: lo fa quando vede, all'altare, la vera sposa. La rivale, l'altra. Quella viva, quella che sta nei giorni. Quella che vive adesso l'attimo che visse lei un momento prima di morire sull'altare. La vede, guarda Victor e decide: «Resta con lei» gli dice. «E pazienza per me. Io sono già morta, tanto. Io sono morta quel giorno, molto tempo fa. Tu resta con lei. Hai conosciuto il mio amore e io il tuo. Adesso vado. Grazie, è stato molto. Adesso vado, ecco, guarda: me ne sono già andata via, volando come queste farfalle.»

Da La psicologia femminile. Cos'è la donna, *Hermes editore, 1943:*

Nelle ricerche della scienza un ostacolo è formato dalla genesi del differenziamento sessuale. Non conosciamo il meccanismo di formazione che le uova umane subiscono per trasformarsi nei due individui adulti di sesso diverso. Dalle membra più nerborute del maschio, dalla maggiore robustezza del torso rispetto alla linea più delicata della femmina è stato tratto argomento per dichiarare la superiorità maschile.

Da Il cervello femminile *di Louann Brizendine, neuropsichiatra, Rizzoli, 2007:*

Ogni cervello fetale appare femminile fino all'ottava settimana. Per natura, infatti, la femmina è la struttura-tipo da cui si sviluppano in seguito entrambi i generi. Se si osservasse tramite immagini al rallentatore in risonanza magnetica la crescita del cervello femminile e di quello maschile si noterebbe che i diagrammi dei circuiti si realizzano seguendo un progetto tracciato sia dai geni che dagli ormoni sessuali. A partire dall'ottava settimana di gestazione un massiccio afflusso di testosterone trasforma questo cervello "neutro" in "maschile" sopprimendo alcune cellule dei centri della comunicazione e facendo crescere un maggior numero di cellule nei centri del sesso e dell'aggressività. Se invece l'ondata di testosterone non si verifica il cervello continua a crescere indisturbato secondo una struttura femminile. Le cellule cerebrali del feto femminile producono più connessioni nei centri della comunicazione e nelle zone che elaborano le emozioni: nella maggior parte dei contesti sociali le donne fanno uso di maggiori e più sofisticate forme di comunicazione rispetto agli uomini. È questo bivio della vita fetale quello che determina il destino biologico di ciascuno.

XII
Eva

Anche Eva Kant poteva essere una sposa cadavere. Suo marito, lord Anthony Kant, ha cercato di ucciderla. L'ha chiusa in una prigione insieme a una pantera perché la bestia la sbranasse. «Non cercare di opporti, Eva. Tu sei soltanto una donna, debole e fragile.» È sopravvissuta a un tentativo di uxoricidio. A due, anzi. Anche Diabolik la aggredisce, la strangola, vuole ammazzarla. Perché lo fa? Perché lei gli ha disobbedito, come nella favola di *Barbablù*. È un episodio cruciale questo in cui Diabolik si avventa su Eva, allora ancora pettinata coi boccoli e vestita con una sottoveste di voile piena di fiocchi e di farpali. Succede all'inizio, è l'origine di tutto ed è, infatti, la nascita di Eva così come la conosciamo: fredda, seducente, implacabile, più acuta e preveggente di lui. Nella storia in cui Diabolik tenta di ucciderla lei sembra soccombere, al principio. Lui all'improvviso si ferma, allenta la presa al collo, dice: cosa sto facendo? Ha un momento di lucidità. Lei piange. Ha avuto di nuovo paura di morire: è un punto di non ritorno, quello. Ogni donna lo sa. Niente dopo è più come prima. Eva si lascia abbracciare. Lui le chiede perdono. Lei pensa: proverò, ci proverò a perdonarti. Non glielo dice però, tace. Nel quadro successivo è un'altra donna: ha il maglione a collo alto nero e attillato, i pantaloni di pelle, i capelli raccolti indietro tirati in uno chignon. Niente più boccoli, niente orecchini e collane, niente gonne né tacchi. *Catwoman*. Una giustiziera. Una pantera: adesso la pantera è lei.

A leggerlo più di quarant'anni dopo, a leggerlo oggi quell'episodio di *Diabolik*, sembra scritto stamattina. Nulla è cambiato davvero e se qualcosa sembrava lo fosse la storia ha fatto marcia indietro, a un certo punto: siamo ancora lì. Era il novembre del 1962 quando Angela e Luciana Giussani, due sorelle della buona borghesia milanese, uscirono col primo episodio di *Diabolik*, «fumetto per adulti». Angela e Luciana erano donne, come si sarebbe detto allora, emancipate. Guidavano l'auto, quasi nessuna lo faceva. Angela aveva addirittura il brevetto di pilota d'aereo. Erano modelle ma vollero essere fotografe, come Lee Miller. Lavoravano, avevano il loro denaro. Angela era sposata a un editore, Gino Sansoni. Decise di aprire una sua casa editrice, Astorina, la sorella la seguì. Diabolik – il criminale, lo scandaloso antieroe – era l'erede di una potente tradizione narrativa, il feuilleton. I suoi antentati sono francesi: Rocambole, Arsène Lupin, Fantômas. Un criminale seducente, un cattivo geniale e di talento, un attraente assassino con modi da gentiluomo. La rivoluzione è Eva. Prima di allora (e molto dopo, ancora oggi) gli eroi maschili del fumetto avevano al fianco eterne fidanzate dolci e fragili, a volte capricciose come Minnie, a volte ombrose come Dale, la ragazza di Flash Gordon. Comunque donne che si mettono nei guai e devono essere salvate: Spiderman, Superman non fanno altro che questo, salvarle. Mai, prima di Eva, una donna aveva ribaltato i ruoli, era stata lei a salvare l'eroe. Eva Kant lo fa subito, al principio della saga: salva Diabolik dalla forca dimostrando ingegno, coraggio, autonomia. Tutta la storia parte da qui.

L'episodio si chiama *L'arresto di Diabolik*, è il numero 3 del 1963, 150 lire. Lui sta per essere ghigliottinato, lei lo salva. Ma chi è Eva, da dove arriva nella sua vita? In effetti ha il curriculum ideale per stare con un bandito: collaboratrice di un gangster, spia industriale, cantante, ballerina, sospettata di aver ucciso il primo marito. Forse uxoricida, sì, perché nella storia in cui lord Anthony cerca di farla sbranare dalla pantera (*Eva Kant. Quando Diabolik non c'era* in *Il grande Diabolik*, 2003) è lui alla fine a soccombere. «Io ero rimasta a guardarlo mentre moriva fra atroci tormenti. Avevo assaporato la mia vendetta, così dolce e così amara.» La vittima designata e scampata alla morte diventa oggetto di sospetto, come capita: in fondo il morto è lui, non sarà la moglie diabolica ad averlo eliminato per crudeltà, per calcolo, per capriccio? Ma torniamo a oggi: al giorno in cui è Diabolik a tentare di ucciderla. Tutta la vicenda è ripercorsa in una serie di tortuosi flashback in *Eva Kant. Gli occhi della pantera*, 2008. La storia comincia così, con «molti anni fa...». Quarantacinque, per l'esattezza, ma Eva è sempre quella: invecchiamo noi, non lei. Due pagine: lei è in camera da letto in camicia da notte di seta tutta trine e jabot. Lui in tuta nera e maschera. «Diabolik non perdona i traditori» le annuncia allungando le mani verso il suo collo «e ha un solo modo di vendicarsi.» Il modo è uccidere, naturalmente. Lei grida: «No, amore ti prego». Lui stringe. Due quadri muti, la morte si avvicina. Lui, però, all'improvviso molla la presa. «Cosa sto facendo? Non posso. Non posso uccidere la donna che amo. Ti prego, Eva, perdonami.» Lei piange a occhi chiusi. «Perdonami.» Lei lo bacia. Pensa: «Proverò».

Compare Eva, poi. Racconta, in questa nuova e più recente storia, come è diventata quella che è adesso. Lui tentò di ucciderla perché lei, fino ad allora devota e silenziosa assistente, aveva disobbedito a un suo ordine ed era tornata indietro a salvare un gruppo di marinai innocenti destinati da Diabolik alla morte. Quella che lui considera «irrazionale e pericolosa pietà». Da allora sei volte lo sottrae alla ghigliottina, alcune decine gli salva la vita. Per farlo rischia la sua, si allea persino con Ginko: il nemico. Mostra assoluta autonomia, spesso intralcia e modifica i suoi piani. Quando lui le manca di rispetto se ne va, lo abbandona: lo lascia da solo (*Eva è scomparsa*, numero 18 del 1978). È gelosa (a ragione, lui divaga spesso), è superstiziosa, rivendica tempo libero per loro: lavori troppo, gli dice come fosse una qualunque devota mogliettina. Ma è *Gli occhi della pantera* a rivelarci i più sottili risvolti psicologici della loro nuova unione e del riscatto di Eva. La pantera è un quadro che lei rubò per lui molti anni prima, proprio al tempo in cui Diabolik aveva tentato di ucciderla.

È il simbolo di quella trasformazione ed è rimasto – il quadro – in un loro antico rifugio. Ci tornano, oggi, perché Diabolik ha in mente un nuovo colpo. Lei è turbata dal ritorno, lui no. Lei gliielo fa capire, allora: agli uomini certe cose bisogna dirle con le parole. «Mi sembra di fare un viaggio indietro nel tempo» gli dice. Lui dice: «Da allora il nostro rapporto è cambiato in meglio, spero». Si vede che si ricorda. Lei lo tranquillizza, lo bacia, ora vai. Lui esce. Nuovo flashback di Eva: ricorda il giorno dopo l'aggressione. Per farsi perdonare Diabolik la portò a cena fuori in un favoloso ristorante, una terrazza sul fiume. Lei aveva ancora boccoli e vestitucci, un neo dipinto in volto e il rossetto a far le labbra a cuore. A fine cena lui le regala una preziosa collana. «Un regalo per farmi perdonare, e tu sai a cosa mi riferisco.» Bastò questo a rovinare tutto, dice una voce fuori campo. Lei la notte non dorme, si gira nel letto. «Come può aver creduto che bastasse quella collana a

[...] dimentica-
[...] ine del suo
[...] ebole e fra-
[...] ta di stran-
[...] nte gemere
[...] o che dura
[...] nze, abbat-
[...] scusa, l'ab-
[...] isveglio, di
[...]: lui ha cer-
[...] gliato a di-
[...]. «Ha fatto
[...] uto preten-
[...] o sforzarmi
[...] più parita-
[...] rzarmi, un
[...] e il suo pia-
[...] ra, che a lui
[...] sola. Lo in-
[...] o che – solo
[...] in casa. Fi-
[...] cesso al ca-
[...] in comune,
[...] ia firma. Lo
[...] e e con quei
[...]'avventura
[...] trame. Eva
[...] piano si tra-
[...] e violentata
[...] stituta, evi-
[...] una rapina
[...] prima volta
[...] eva. Provai

paura, ma fu un attimo.» Nuovi contrattempi, imprevisti. Nuovi malvagi in agguato. Eva resta sola, la catturano. La legano a un'asse del soffitto e mentre sviene lei ha quell'incubo, ancora, una visione: il primo marito che nell'atto di ucciderla le dice «sei una stupida donna», Diabolik che le grida «cosa volevi fare senza di me, senza di me non sei niente». Reagisce, aggredisce, si salva. Ottiene finalmente il quadro: la pantera. Lo consegna a lui impacchettato con un nastro. Prima di aprirlo Diabolik le dice: «Ho riflettuto molto su quanto sei abile, su quanto possiamo esserci utili a vicenda. Tu e io sullo stesso piano, capisci?». Lei certo che capisce, ma pensa e non dice: «Guardandolo intuii che le cose davvero sarebbero cambiate. Non subito ma sarebbero cambiate. Soprattutto ero cambiata io. Avevo superato un punto di non ritorno». Soprattutto ero cambiata io. Diabolik apre il quadro, vede la pantera, dice: «Che cara, come hai fatto a ricordarti che mi piaceva?». Lei gli parla come a un bambino di sei anni, gli spiega che si ricorda le cose, tutte, soprattutto quelle che legge sul suo volto, nei suoi occhi. Gli dice che la pantera è un simbolo. «Capisci cosa significa? Era il segno che le cose erano per sempre cambiate fra noi.» Lui esita, la guarda e risponde: «Sì, credo di capire». Crede. Sono passati quarantacinque anni e stanno ancora insieme. La più longeva coppia di fatto della storia del fumetto, Eva alla guida.

Da **Prenez** soin de vous, *Sophie Calle, biennale di Venezia 2007:*

*La lettera è una qualunque lettera d'addio, se si può dire qua-
lunque di un congedo. Breve, una paginetta. Accendi il com-
puter un giorno e lei è lì. Sta tutta intera davanti a te. Premi il
cursore per scendere, ne cerchi ancora ma non serve: è finita. Lui
è garbato, formalmente ineccepibile, apparentemente addolorato.
È colto, inoltre. Un uomo che sa usare le pause e gli a capo. Sa
toccare le corde dell'altrui colpa sfiorandole appena, sa attribuirne
un poco anche a se stesso, come un difetto congenito però, un
piccolo male non imputabile. Uno scrittore, forse. Di certo uno che
lavora con le parole. Il repertorio è classico, si direbbe un'antologia.
«Avrei preferito parlarti a voce, infine ti scrivo.» «Ho creduto
che avrei potuto darti il bene.» «Non ti ho mai mentito e non
comincerò a farlo oggi.» «Mi dicesti che quando avremmo cessato
di amarci non avremmo più potuto vederci: una regola che mi
pare dolorosa e ingiusta. Tuttavia: non potrò diventare per te un
amico.» L'inevitabile «ti ho amata nel mio modo e continuerò a
farlo, non cesserò di portarti con me». Non proprio amore, no,
non si può dire: un amore a suo modo. La chiusura, infine. «Avrei
preferito che le cose andassero diversamente.» Le ultime quattro
parole. «Abbi cura di te.» Abbi cura di te perché non sarò io a*

farlo. Io mi prenderò cura di qualcun altro. Di qualcun'altra, non di te. Non sentirti respinta, però. Avrei tanto voluto che le cose andassero diversamente. Certo, avrebbe voluto. Take care of yourself, prenez soin de vous, cuidate mucho.

XIII

Louise

Louise Bourgeois è una delle donne più affascinanti del secolo che abbiamo appena attraversato. «La violenza non si dimentica. Bisogna ricrearla per sbarazzarsene.» Un essere umano di calibro superiore: poi anche una donna, certo. «A vent'anni frequentavo l'accademia di Belle Arti. All'ora di disegno dal vivo, un giorno, il nostro modello nudo ebbe un'erezione. Ricordo di essermi detta: è così triste essere vulnerabile. Davanti a tutti, poi. L'ho compatito. Ho pensato che temesse che avremmo riso di lui. Non sapevo, fino a quel momento, della vulnerabilità maschile. Non avevo mai provato pena per il fatto che un uomo fosse un uomo. Non mi era mai venuta l'idea: mai. D'altra parte si va a scuola per imparare: io quel giorno ho imparato questo.» Gli uomini: così fragili, schiavi di quella loro appendice.

La sua foto più celebre l'ha scattata Mapplethorpe nel 1982. Lei ha settantun anni, una tela di rughe in volto, un sorriso radioso e una sua scultura sottobraccio: un fallo enorme portato come se fosse un ombrellino di pizzo, con grazia assoluta. L'opera – il realistico membro maschile di monumentali dimensioni – si chiama *Fillette*, bambina. «È la mia bambola» ha spiegato. «Per tutta la vita ho avuto l'abitudine di prendermi cura degli uomini, avevo un marito e tre figli. Il loro organo virile era un oggetto familiare, amato. Niente affatto orribile. Una cosa gentile che non fa male, è chiaro.» La foto, rifiutata da un catalogo della sua mostra al Moma, è triplamente eversiva: perché è donna, perché è vecchia, perché ride del suo pisello sottobraccio.

«Tutto il mio lavoro trova origine nella mia infanzia. I miei genitori ebbero il loro primo figlio quando non erano ancora sposati. Sfortunatamente fu una femmina. Mio padre era un macho e mia madre dovette vergognarsi di aver dato alla luce una bambina. La colpa durò poco perché la piccola morì. Ne ebbero un altro, allora: un'altra femmina. Mia sorella Henriette. Un anno dopo nacque Louise, io. Capirete che la mia nascita suscitò enorme delusione. Mi fu tuttavia imposto il nome di mio padre, Louis. Sentivo di dover fare un grande sforzo per farmi perdonare il fatto di essere femmina. Mio fratello è nato poco dopo, comunque.» La famiglia di Louise Bourgeois viveva in Francia e riparava antichi arazzi. «Io avevo il compito di rifare i piedi, che per qualche ragione si consumavano prima. Degli uomini, dei cavalli. Poi dovevo anche tagliare i genitali dei Cupido che gli acquirenti americani, puritani, non volevano vedere in salotto. Mia madre, che era una donna ordinata, li tagliava e li metteva tutti insieme in un cesto: un cesto di piccoli peni. Io cucivo al posto loro dei fiori: crisantemi, di solito.» Il padre aveva molte amanti. «Mi portava al bordello, da bambina, e aspettavo fuori. Aveva amanti prostitute. Scartava quelle che non gli piacevano perché erano troppo questo, troppo poco l'altro. Io mi identificavo con le donne scartate. Pensavo: anche io sono troppo poco questo, troppo l'altro. Per tutta la vita mi sono sentita respinta: troppo o troppo poco. Poi mio padre arruolò un'insegnante d'inglese per noi figli, Sadie. Veniva in vacanza con noi, viveva con noi. Era la sua donna. Mia ma-

dre lo sapeva e taceva. Anche io lo sapevo. Per dieci anni
ho visto lo sguardo muto di mia madre, ho odiato mio padre per quella sua violenza inaudita su di noi. La famiglia
può essere disseminata di ghigliottine.»

A scuola Louise è bravissima. «Era il posto dove potevo
fuggire.» Decide di studiare matematica, ha una passione
per la geometria: «Ha regole che non cambiano, non come
a casa». Poi si dedica allo studio dell'arte. Conosce un pro-
fessore gentile e lo sposa, «era esattamente il contrario di
mio padre, e io il contrario di sua madre». Va con lui a vivere negli Stati Uniti. Adotta, prima di partire, un bambino
di quattro anni, Michel. Ne ha subito dopo altri due. Vive da madre di tre figli la sua giovinezza. Reclusa in casa,
lontana dalla sua patria. Comincia a dipingere, a scolpire:
gli amici e gli amori lontani come totem di legno, lunghi,
distanti e filiformi, li installa sul tetto di una casa o in una
stanza vuota. «Il mio diritto al *mal du pays*», la nostalgia. Le
femmes-maison, corpi di donna imprigionati in una casa che
chiedono aiuto: oggetti di desiderio, anche, sessi femminili
esposti che chiedono di essere liberati dal loro ruolo di at-
trattiva del piacere maschile. Rappresenta i figli come sfe-
re di cristallo, «rigide, perfettamente finite già alla nascita,
complete e in fondo estranee dal momento in cui vengono
al mondo, ma fragili. Se le colpisci si rompono». Negli anni Settanta è «scoraggiata e rassegnata, poi ho ricominciato a combattere». Comincia ad avere fortuna come artista.
«Bisogna guardarsi per quello che si è anche in ciò che non
si ama di sé. Quando ci si guarda comincia l'unico dialogo
di senso.» Alla morte di sua madre tenta il suicidio gettan-
dosi in un fiume. «Lei era la mia migliore amica, era mia
madre. Lei era intelligente, paziente, opportuna, utile e ra-
gionevole. Era indispensabile: come un ragno.» I ragni tessono la tela là dove si rompe, ricominciano sempre daccapo,

non si stancano. Come con gli arazzi, i ragni tessono, ricompongono. Dora Maar aveva fotografato Nush Éluard come una donna ragno: le aveva sovrapposto, in camera oscura, una ragnatela. Bourgeois intitola il suo primo monumentale ragno, il primo di una produzione destinata a renderla famosa nel mondo: *Mother*. Da bambina, racconta, suo padre soleva fare per lei un gioco con un'arancia: vi incideva sopra una figura femminile, sulla scorza, poi la tirava via e dentro, proprio al posto del sesso della donna, compariva un lungo picciolo eretto, quello che sta dentro il cuore dell'arancia. «Io, a tavola davanti ai miei fratelli, piangevo il fatto di non avere la capacità di trasformarmi, come l'arancia, in un uomo dal sesso eretto.» Vent'anni dopo la morte di Louis scolpisce *Distruzione del padre*. Un'installazione ormai celebre che ricalca un suo incubo di bambina: lei e i suoi fratelli che squartano il padre e banchettano a tavola con alcune sue parti. «Giacché sono stata demolita da mio padre non vedo perché non avrei dovuto demolire gli altri» dice. «Rivendico il diritto di essere infelice. Rompo tutto quello che tocco. Sono violenta. Distruggo i miei amici, i miei amori, i miei figli. Rompo le cose perché ho paura e passo il tempo a cercare di ripararle. Sono sadica perché ho paura.» Soffre d'insonnia. Dipinge l'insonnia. Un'opera s'intitola *L'arte è una garanzia di salute mentale*. Poi commenta: «Tutto il mio lavoro è l'opera di ricostruzione di me stessa». Regala ai suoi amici degli specchi, quasi sempre tondi, a forma di sole, e con gli specchi realizza opere magnifiche: «Nella vita ci sono molte realtà come quelle che restituisce uno specchio. Bisogna accettare che la gente non vede quello che voi vedete, che voi non vedete quello che vedo io. L'ho imparato, non c'è conflitto. Ciascuno vede una cosa diversa, guarda nello specchio e vede se stesso come vuole che sia. Fa paura ma bisogna accettarlo». Negli amori, nelle relazioni fra persone è così. E tu, nello specchio che io ti ho regalato quel giorno, che cosa vedi di noi: di me, di te, di noi due se noi si può dire? «Realizzare una scultura è l'unico modo per incontrare davvero una persona. Per parlarle. Per introdurla nella tua casa vuota.»

La sua raccolta di saggi autobiografici è uscita in America quando aveva compiuto novant'anni. Il giovanilismo rivendicativo dell'ultima stagione politica è da mettere a fuoco tenendo presente la realtà: ci sono giovani del tutto insignificanti e vecchi geniali, come è evidente. Il titolo delle memorie, in originale, è *Destruction of the Father / Reconstruction of the Father* (Distruzione del padre / Ricostruzione del padre), già questo notevolmente anticommerciale. «Adorerei essere capita giacché grazie al mio ottimismo penso che se la gente mi capisse non potrebbe che amarmi. È questa la ragione per la quale tento con tutte le mie forze di essere compresa: essere amata.» C'è da capirla. Bisognerebbe riprodurre qui tutte le duecento pagine dei suoi scritti, sintetizzare non si può. «Ci innamoriamo sempre di coloro che temiamo, così provochiamo un cortocircuito alla paura e non la sentiamo più. Come succede fra un serpente e un uccello: l'uccello si sente affascinato, attratto, non è vero? Non soffre, non sente paura, è ipnotizzato. Il serpente finisce per ingoiarlo. È così.» Come il topo e il gatto di quella favola. «Saltiamo da un innamoramento passeggero a un altro, evitiamo la paura. Passano gli anni senza che riusciamo a sperimentare l'amore – non è frequente che si materializzi – e alla fine della vita riusciamo a esprimere solo una grande ira perché sentiamo di averla perduta, di aver perso inutilmente il tempo.» Le sue opere sono state sempre associate a un violento significato erotico. «È qualcosa che non capisco e che prescinde da me. Il sesso ha a che vedere con la morte. La paura di morire distrugge quella sensazione di essere al limite che si produce nel sesso. Quel momento, proprio quando il sesso e la morte si fanno una cosa sola, è quel che cerco di captare col mio lavoro. Niente di erotico. Uno stato subliminale, piuttosto.» Le donne. «Non sono mai stata femminista pur avendo sempre avuto un profondo interesse per quello che fanno le donne. Lo trovo più ricco, più sorprendente. Nonostante ciò sono sempre stata solitaria.» La terapia della parola, del gesto creativo. «Una volta terminata la scultura sento che ha eliminato l'ansia che provavo. Gli artisti progrediscono così: non è che migliorino, è solo che ogni volta sono capaci di resistere meglio ai loro propri assalti. L'unica vera arte che ho praticato tutta la vita è stata l'arte di combattere la depressione, la dipendenza emotiva.» Combattere la paura alla fine non è tutto «perché anche nell'assenza di paura il pericolo persiste». Persiste. Si può migliorare nel gestirlo, nell'affrontarlo. «Per scappare bisogna avere un posto dove andare. Quello che mi interessa piuttosto è restare: la conquista della paura. Nascondersi, confrontarsi, esorcizzare, vergognarsi, tremare e alla fine avere paura della paura stessa. Questo è il mio tema. Questo, credo, è il tema.»

Da Il fattore D *di Maurizio Ferrera con riferimento a Ryan, Haslam, Hersby e Bongiorno:* «Think crisis - think female: using the glass cliff to reconsider the think manager - think male stereotype», *University of Exeter, in corso di pubblicazione.*

Un gruppo di ricercatori dell'università di Exeter ha recentemente identificato una seconda sindrome che agisce a sfavore delle donne manager oltre ai «soffitti di cristallo» [per soffitto di cristallo si intende qualcosa che limita in forma sottile e quasi invisibile la carriera e l'affermazione professionale femminile verso posizioni di vertice]. Hanno battezzato questa nuova sindrome glass cliff: *letteralmente scogliera, o precipizio di cristallo. Si tratta di questo: alle donne vengono affidati compiti di leadership organizzativa collegati a un alto rischio di critica, di impopolarità e di fallimento. Ciò penalizza le donne due volte: rende più difficili i compiti e dunque il successo delle donne che accedono a posizioni di leadership; disturba la misurazione dell'impatto economico effettivo della leadership femminile e dunque rinforza i pregiudizi negativi.*

Alla fine del 2003 il quotidiano «The Times» di Londra pubblicò per esempio un'inchiesta da cui risultava che le imprese britanniche con poltrone «rosa» nei consigli di amministrazione erano andate peggio nel corso dell'anno rispetto alle imprese senza consiglieri donna. Analizzando più da vicino gli stessi dati i ricercatori di Exeter riuscirono però a dimostrare che questa conclusione era del tutto fallace. Nel corso del 2003 molte imprese che già andavano male avevano nominato una o più donne nella propria cabina di regia: una promozione, sì, ma a una posizione molto vicina al precipizio. Dopo la nomina il rendimento della maggior parte di queste società era migliorato. Nel caso di nomine effettuate da imprese che andavano bene invece non era rilevabile nessun impatto: né positivo né negativo. Il «Times» aveva torto: non erano le donne a compromettere la performance delle imprese ma le imprese con cattiva performance a chiedere aiuto alle donne, affidando loro una missione ad alta probabilità di insuccesso.

Glass cliff è ora il nome di un programma di ricerche volte a esplorare le dinamiche e le ragioni di tale sindrome. Perché le organizzazioni tendono a rivolgersi alle donne quando si trovano in situazioni difficili?

XIV

Il ministro

Ho visto Claudio la prima volta nella stanza del Presidente.
Ero stata convocata per la proposta di un nuovo incarico dopo la fusione dei gruppi. Ristrutturazione, ottimizzazione ec-
cetera. Il Presidente senza troppe cerimonie mi propose un
compito «di grandissima responsabilità e un certo margine
di rischio, come le sarà chiaro: ma sono sicuro che lei sia la
persona giusta per portarlo a buon fine». Non dubitava. Mi
chiese di mettermi alla guida di una piccola società satellite
che avrebbe dovuto essere «risanata e rilanciata». Si trattava
di ridimensionarla, di «renderla competitiva e funzionale alle esigenze del mercato». Di licenziare un buon numero di dipendenti, naturalmente. Si partiva da una «situazione molto
critica». L'azienda era in pratica sull'orlo del fallimento. Mi
era chiarissimo lo spirito: mandavano me allo sbaraglio, pro-
muovendomi però. Se ci fossi riuscita avrei semplicemente
fatto quel che mi si chiedeva. Se avessi fallito avrei reso inevitabile il mio allontanamento, che d'altra parte sarebbe stato
nelle loro facoltà fin dal principio. Avrebbero potuto dirmi subito: non c'è posto per lei nel nuovo gruppo. Mi dissero invece: c'è un posto di grande rilievo, un po' critico, vada. Quello
che ancora oggi non capisco bene è come mai mi sia sentita quel giorno spaventata e lusingata insieme, come mai non

abbia avuto il riflesso di dire: no grazie. Sapevo che si trattava di un'impresa disperata, le mie note capacità di analisi e il
mio leggendario intuito avrebbero dovuto dirmi lascia perdere, tieni alta la testa e vattene altrove, non avrai nessuna difficoltà a trovare domattina un altro posto di lavoro. Magari
all'estero, così si cambia aria. Invece successe qualcosa dentro
quella stanza: la lusinga spingeva di lato lo spavento, l'idea
di essere messa alla prova annebbiava il pensiero, che pure
da qualche parte doveva nascondersi, di essere davanti a un
tranello. Una sfida, e vogliono proprio me. Come posso dire
di no? Una sfida difficile per giunta. «Un certo margine di rischio.» Ne sono capace, posso farlo, lo dimostrerò. «Pensavo
di metterle a disposizione, almeno nella prima fase, un giovane collaboratore molto promettente: è appena arrivato da
noi e credo che al suo fianco imparerà molto e potrà al con-
tempo esserle utile. Il dottor S.» Claudio. Deve essere stato
anche il fatto di essere sotto i suoi occhi a impedirmi di dire
di no. Ma questo lo penso adesso, che è tardi.

Ha cominciato a corteggiarmi subito. Si comportava co
me un gentiluomo del secolo scorso. Lui così giovane: non
ho mai avuto una ragazza bella come te. Mi faceva ridere.
Figuriamoci, pensavo. Noi due impeccabili in pubblico: io il
direttore generale, lui l'assistente ragazzino. Devoto, dutti
le, svelto però: intelligente, sì, brillante. Un'intesa formida_
bile fra noi. Ci lasciavamo la sera per salire su auto diverse
fuori dall'ufficio. Lui aveva le mie chiavi in ogni stanza d'albergo, gliele passavo sempre di nascosto a un certo punto
del giorno, al nostro arrivo. Lui entrava senza far rumore.
Sono stati mesi belli, proprio belli. Sembrava un gioco, sembrava un segreto.

Quando mi hanno offerto il ministero lui mi ha detto: ti
prego, portami con te, non mi lasciare qui. Sono stati giorni
difficili, di solitudine perfetta. Solo con lui potevo confidar-

mi, solo a lui ero libera di raccontare, la notte. Non l'avrei lasciato per nessuna ragione, non avrei accettato senza di lui. Siamo andati insieme. Io, il ministro. Lui, l'assistente del ministro. Stanze comunicanti. Vite intrecciate dall'obbligo di servizio: nessuno avrebbe potuto sospettare, pensavo. Stavamo lavorando.

È stato lui, lo so con certezza adesso, a farlo sapere. Quella volta che mi riportò l'orecchino che avevo perso nel letto e lo poggiò sulla scrivania davanti al capo di gabinetto. Sembrava un gesto distratto. Quella volta che si avvicinò per baciarmi e le porte dell'ascensore non si erano ancora chiuse. Sembrava un'imprudenza. Era tutto calcolato, invece. Voleva che si sapesse. Voleva che a tutti quanti fosse chiaro che era lui, spente le luci, a decidere. Nel giro di poche settimane mi arrivarono le voci di ritorno. E gli sguardi. E i commenti piccanti alle riunioni di governo, sempre vaghi ma sempre indirizzati a me.

In quei giorni ha cominciato a respingermi. Stasera sono stanco. Questo fine settimana me lo prendo libero, vado dai miei. Ti raggiungo, dicevo io. Ma dai, che dici, figurati se posso portarti da mia madre. Vado a teatro con un'amica, ci tiene, l'accompagno. Per Pasqua abbiamo deciso di andare tutti nella casa al mare, il gruppo storico, sai, i miei compagni di università. Magari vi raggiungo per un giorno, gli dicevo. Ma smettila, che figura vuoi farmi fare. Vuoi che ridano di me che faccio il gigolò per una signora matura. Vuoi che pensino che mi faccio una carriera alle tue spalle? Dai, su. Il gigolò. Domenica vado in campagna ho bisogno di stare da solo. Gli faccio una sorpresa, ho pensato. Ho preso la macchina e sono partita. Trecento chilometri. L'ho chiamato al telefono che ero quasi arrivata al paese. Mi ha detto: fai inversione e torna indietro. Non ho nessuna intenzione di aprirti la porta, cerca di non fare sceneg-

giate. Evitami la pena di lasciarti chiusa fuori. Ti ho detto
che voglio stare solo, non capisco cosa ti sia venuto in mente. Non ho voglia di vederti, smettila. Questo mi ha detto.
Ho fatto inversione, sono tornata indietro.

Pensavo: devo essere stata io. Sono sicuramente stata io a
mettergli in moto questo meccanismo di rifiuto. Non sono
stata attenta a non farlo sentire in difficoltà, non sono stata
brava a non fargli pesare la differenza d'età, di ruolo, di stipendio. Non posso pretendere che stia bene con me se non
si sente all'altezza. Devo fare in modo che si ristabilisca un
equilibrio fra noi. Dev'essere così: l'umiliazione non è nulla, è una cosa che passa, conta tutto il resto. L'umiliazione è
solo lo stupido prezzo da pagare perché lui non si senta in
difficoltà. Mi sembrava di doverlo risarcire. Mi sentivo in
colpa per il fatto di essere io il ministro. Io il capo, io quella brillante con la bella casa e gli amici che ti chiamano alle
inaugurazioni. Era come se avessi dovuto pagare un prezzo per tutto questo. Come se non fosse nella natura delle
cose, in fondo, e ci fosse un prezzo da pagare.

Poi ha cominciato a dirmi che il sesso con me non lo interessava più. Faccio un po' fatica a parlare di questo proprio con le parole che lui usava ma insomma mi diceva che
preferiva avere soddisfazione da solo piuttosto che con me.
Che a certe cose non si comanda e a lui non gli riusciva più
di farselo piacere: guarda, diceva, lo vedi che non mi fai nessun effetto? Basta così, non c'è niente da fare, vattene.

Io non è che volessi il sesso da lui. Non mi è mai neppure troppo interessato, in generale. Solo che con lui, quando c'era, mi sembrava il modo più intenso e più profondo
di dirsi la verità dell'amore. Anche senza le parole. Anche
contro le parole, a volte. Quando mi diceva mi fai fare brutta figura coi miei amici, per esempio, ma poi il giorno dopo
mi prendeva in braccio e si stava così. Ecco, dicevo: ecco la

prova. Le parole sono parole. Sono la sua debolezza. Sono il mio pegno. Però ecco, vedi, guarda come stiamo.

Poi la rovina. Lui ha trovato una ragazza della sua età e ha cominciato a portarla fuori, la presentava come la sua fidanzata a tutti i colleghi, qui al ministero, a tutti quelli che lavorano con noi e che sanno, ormai, di noi. Vedo la compassione, adesso, negli occhi degli altri. La pena. Ho l'impressione che anche nelle trattative, sul lavoro, qualcosa sia cambiato: mi guardano in un altro modo, mi sento sempre in difficoltà, in pericolo. Ogni tanto mi chiama, la notte. Mi dice: ti penso, così finisce sempre che gli dico: anche io. Poi sparisce di nuovo. Non risponde, si fa sostituire nei viaggi lunghi. Sono sola, sempre, in albergo. Poi mi manda un messaggio, mi dice: lo sai cosa ti farei se fossi lì. Però lui non c'è, qui. Non dormo. Potrei mandarlo via con un pretesto, allontanarlo dall'ufficio ma non ci riesco: penso che sarebbe la prova della mia disfatta, e poi credo che mi mancherebbe comunque. Preferisco vederlo, sapere dov'è.

Non è un buon momento. È per questo che ho cominciato questa terapia, credo che parlare mi aiuti. Dare un nome alle cose: mi sento meglio quando vengo qui. Credo di capire cosa mi è successo e cosa mi succede quando mi faccio così tanto maltrattare da lui. È come se io stessa ne avessi bisogno, da qualche parte: è come se fosse necessario per sostenere l'altro ruolo, quello pubblico. È come, anche, se solo io sapessi che la verità è quella delle notti che non dormo. Io e lui: la mia debolezza, il nostro segreto. Però sono sicura che sia una fase. Mi sento già meglio, sento che ce la posso fare. Non avrò più nemmeno bisogno delle gocce per l'ansia, che poi mi fanno sempre venire un po' di sonno e io non posso essere assonnata di giorno, capisce? Con il lavoro che faccio. Forse potremmo eliminare le gocce.

Milano, maggio 2008, stampa locale:

Raffaele Cesarano, guardia giurata della Securitalia, e l'ex moglie Elisa Beatrice Rattazzi si sono dati appuntamento in via Fossata, Barriera di Milano. Ad accompagnare la donna c'erano Giuseppe Cardella, finito all'ospedale con quattro pallottole in corpo, la sua ex moglie e – fino a pochi momenti prima della sparatoria – i figli dell'omicida. La signora Cardella, ora separata dal marito, era venuta a testimoniare che Giuseppe Cardella non aveva una relazione sentimentale con Elisa Rattazzi. «E non ce l'aveva» giura il padre della giovane uccisa. «Era soltanto un amico di famiglia. Erano compari di nozze...» Elisa, esasperata dalla discussione, ha gridato: «E va bene. Sei convinto che vado a letto con lui? E allora te lo dico: è così». La guardia giurata ha estratto la pistola e ha sparato l'intero caricatore contro l'ex moglie e il suo presunto amante che, spaventato, ripeteva: «Non è vero, non c'è niente tra noi, siamo solo amici. Diglielo Elisa per l'amor di Dio. Digli la verità». Raffaele Cesarano ha sparato undici colpi: sette hanno colpito la sua ex moglie (alle gambe, all'addome, al bacino e uno alla nuca), quattro Giuseppe Cardella (uno ai testicoli). La donna è morta sul colpo. Elisa Rattazzi aveva in passato presentato denuncia ai carabinieri. «Mio marito è perico-

loso: si punta la pistola alla testa e minaccia di uccidersi davanti a me e ai suoi figli.» I carabinieri gli avevano tolto la pistola ma la prefettura poi aveva deciso di riconsegnare l'arma (custodita nella cassaforte della stazione) al metronotte. Quando è arrivato in caserma Raffaele Cesarano ha solo detto: «Le ho sparato, non chiedetemi nulla. Non so nemmeno io come sia successo. Ho premuto il grilletto».

Lettera inviata dai vicini di casa della donna alle ministre e, per conoscenza, ai giornali:

Gentili Ministre, ci rivolgiamo a voi perché siete donne e forse potrete comprendere il dramma che è successo domenica pomeriggio. Conoscevamo Elisa Beatrice Rattazzi, abbiamo vissuto vicino a lei e al suo assassino per anni e i nostri figli sono cresciuti assieme. È stata uccisa ed è l'ennesima assurda vittima della violenza di genere, della guerra che quotidianamente si consuma all'interno delle mura domestiche. Elisa era una donna che aveva paura e ha subito per anni violenze e soprusi, e con lei i suoi figli, senza che nessuno abbia saputo o voluto aiutarla. Per anni ha denunciato le violenze commesse dal marito: sono rimaste tutte grida inascoltate. Al coraggio delle denunce si risponde con qualche pacca sulle spalle. L'Italia ha un parlamento che legifera su tutto ma non esiste nessuna legge specifica, a differenza degli altri paesi europei e civili, sulla violenza di genere. Quando sono chiamate a intervenire le forze dell'ordine mostrano questo limite senza vergogna. E sono solo un ulteriore e secco schiaffo morale per la donna: «Su signora, sono solo battibecchi che succedono nelle migliori famiglie». Cosa deve fare una donna per essere creduta? A cosa servono le denunce, i referti dell'ospedale? A cosa serve proporre di inasprire le pene, se poi una moglie che denuncia più volte suo marito non viene creduta? In questa sottocultura da Italietta fascista i mariti sembrano intoccabili, devono fare i «mariti» e se qualche volta si arrabbiano avranno pure le loro ragioni. Anche se il delitto d'onore è stato cancellato dal codice penale non lo è dalla testa degli italiani. Il boomerang mediatico, cavalcando il dolore dei familiari, sembra che abbia già voglia di trovare giustificazioni: aveva lasciato il marito, si era portata via i figli, aveva addirittura un altro uomo... Elisa è stata uccisa in mezzo alla strada, alla luce del giorno sotto gli occhi di tutti, da una mano assassina che la tormentava da anni. Una esecuzione in piena regola. Un delitto bastardo ma talmente comune da non fare quasi notizia. In questa storia non ci sono extracomunitari ubriachi o rom alla guida di fuoristrada rubati. È solo la storia di una normale famiglia italiana. Questa ignoranza e questo perbenismo di facciata permettono che follie come questa accadano; mentre una stampa e un'opinione pubblica poco sensibile permettono che vengano letti e archiviati attraverso la griglia mafiosa del codice d'onore. Fino a quando dovremo attendere per vedere una legge specifica, una sezione di un tribunale, dei magistrati e degli uffici di polizia con competenze specifiche sulla violenza di genere? L'indifferenza pensa a fare il resto, in fondo vedere una donna nei panni della vittima è normale perché nella nostra sudicia cultura la donna non si può difendere. Chi lo spiegherà ai suoi figli di sette e quattro anni?

XV

Noir Désir

Vilnius, Lituania. Grand Hotel Domina Plaza. All'una di
notte del 27 luglio, dopo aver sentito gridare per un'ora almeno, l'ospite del piano di sotto, un inglese, chiama la re-
ception dell'hotel: succede qualcosa nella stanza sopra la
mia – protesta – è impossibile dormire. Il portiere di notte
abbassa il volume della piccola tv che ha di fronte. Spegne
la sua sigaretta, «provvedo subito», riaggancia i bottoni del
gilet, sale lungo le scale vestite di rosso della palazzina fin-
to neoclassica, hotel di lusso per turisti di pregio. Bussa alla
porta della suite 35. Un giovane uomo apre solo uno spira-
glio: ok, ok, ho capito, non ci sarà altro rumore. È tutto finito. Dice proprio così, nella sua lingua: è tutto finito.

Passano quattro ore. Il tempo di raccogliere il corpo della
donna da terra, spogliarla e metterla a letto, coprirle la testa con un asciugamani umido, spegnere le luci. Telefonare
all'ex marito di lei in un altro continente: quarantacinque
minuti di conversazione confusa, acida, insensata. Telefonare alla propria ex moglie, ai propri colleghi di lavoro e
amici lontani migliaia di chilometri. Una logorrea nottur-
na della quale chi ascolta non capisce il motivo. Malesse-
re, certo. Una lite, va bene. Ma che altro c'è? Niente, non
c'è altro, era solo così, per sentirvi. Alle cinque del mattino

l'uomo chiama il fratello minore della donna: volevo avvisarti che tua sorella domani non potrà venire al lavoro, ha un livido sul viso. Lei è un'attrice, sta girando un film nella parte della protagonista: con un livido sul viso non può girare, è evidente. Il fratello è aiuto regista del film, dorme in albergo nella stessa città. Si spaventa soprattutto per l'ora, non si chiama alle cinque per raccontare di un livido. Si veste, esce, va da loro. Quando arriva al Domina Plaza Bertrand gli dice che Marie sta riposando. Lo porta in un'altra stanza e per un'ora gli parla di quanto sia difficile vivere con sua sorella. Delle loro liti, del carattere impossibile di lei. Della discussione che hanno avuto quella notte: gli dice che lei era fuori di sé, era isterica, che lo ha colpito sul volto e allora lui, un poco anche per calmarla, le ha dato uno schiaffo. Si fa quando proprio non c'è altro modo per calmare qualcuno, no? Ecco dunque il livido. Ora va meglio, però. Lei dorme. Vincent, il fratello, fa per uscire, ma quando è sulla soglia torna indietro. Vuole vedere Marie. Entra in camera da letto, alza le lenzuola, scosta il panno dal volto. La donna ha un filo di sangue che le esce dalla bocca e che ha fatto una larga chiazza scura sul cuscino. La scuote: non si muove. Ha gli occhi aperti ma non vede. Vincent scende correndo le scale, chiede al portiere di chiamare un'ambulanza. Urla di fare presto, vuol avere il numero del miglior ospedale della città. Bertrand arriva poco dopo dietro a lui: al portiere che sta chiamando l'ambulanza domanda se in albergo ci siano sigarette. Sono le sette del mattino. Marie è in coma irreversibile. Sono passate più di sei ore dalle botte. Il sangue nella testa è un lago. Emorragia cerebrale. È tutto finito.

Marie Trintignant, attrice, muore a quarantun anni per i colpi ricevuti da Bertrand Cantat, quarantatré, cantante. Sono una delle coppie più ammirate di Francia. Bellissimi,

inquieti, intelligenti, insoddisfatti, pieni di temperamento
e di talento, adorati dai fan. Lei è figlia di Jean-Louis, atto-
re mito del cinema non solo francese, e di Nadine, regista.
Sua sorella Pauline è morta bambina. Ha trascorso l'infanzia chiusa nel silenzio, quasi nel mutismo. I genitori hanno
creduto che farla recitare l'avrebbe aiutata: ha cominciato a
quattro anni. «Recitare infatti mi ha guarita da una timidez-
za estrema» disse lei una volta. A sedici anni ha una parte
nella *Terrazza* di Ettore Scola, nel film recita anche suo padre. Voleva fare il veterinario, amava gli animali più di tutto. È stata attrice, invece. Ha avuto tre mariti e quattro figli.
Ha occhi verdi che guardano altrove. È piccola di statura
e minuta: non pesa cinquanta chili, porta vestiti da ragazzo taglia dodici anni. Taglia 36, negli abiti da donna. Scrive con grafia infantile, le sue lettere sono piene di errori di
grammatica. Disegna sui fogli casette e piccoli animali, fiori. Fuma molto, dorme poco.

Bertrand Cantat è il leader dei Noir Désir. Desiderio nero.
È la voce e l'autore dei testi. Un milione di dischi, successo
planetario in duetto con Manu Chao con *Le vent nous porte-
ra*, il vento ci porterà via. I Noir Désir sono il gruppo di culto
della generazione no global, «clandestina», libertaria, anti-
razzista e non violenta, la sinistra di «Libération», le battaglie
per i valori puri e assoluti, la Giustizia, la Libertà, i Diritti.
Gli ultimi saranno i primi. Ha la bellezza cupa e maledet-
ta dei duri in fondo fragili, quelli che fanno svenire le adolescenti pronte a guarirli dal loro male. Ha la voce vellutata
e roca, ama Jacques Brel, si mangia le unghie. Firma appel-
li per le buone cause, ha una moglie e due bambini. Conosce Marie quando la sua secondogenita, Alice, è nata da un
mese. Lascia la famiglia. «Marie è la donna della mia vita»
dice al fratello Xavier. La segue a Vilnius dove lei sta girando, diretta dalla madre, un film sulla vita di Colette. Sul set

la madre è regista, il fratello Vincent aiuto regista, lei protagonista, suo figlio Roman, diciassette anni, recita nella parte dell'amante di Colette. Il giorno prima della sua morte
Marie ha una violenta discussione con sua madre: le risulta complicato girare una scena d'amore col figlio. La sera riceve un sms dal suo ex marito Samuel, anche lui regista, col
quale ha appena finito di girare un film su Janis Joplin. Lui
le scrive: *Je t'embrasse, ma petite Janis*. Bertrand legge il messaggio, ha una reazione cupa di gelosia, si chiude in albergo. Lei lo raggiunge. Lui vuole sapere, litigano. Lei gli dice:
lasciami in pace, torna da tua moglie. Lui dirà, al processo:
«Era fuori di sé, era isterica come non l'avevo mai vista. Mi
ha colpito, le ho dato uno schiaffo». Sono almeno quattro gli
schiaffi, se schiaffo si può dire di un colpo che ti getta a terra. Marie batte la testa: forse nello stipite di una porta, forse
su un termosifone. Lui non ricorda. Un colpo fortissimo, la
causa dell'emorragia cerebrale. Perde conoscenza. Lui, dice,
crede che si sia addormentata di colpo e la prende in braccio, la spoglia e la mette a letto. Le sistema un panno umido
sulle tempie. La copre e torna nell'altra stanza. Beve. Chiama al telefono l'ex marito di lei, Samuel, quello del messaggio sul telefono. Non gli dice cosa sia successo però chiede,
domanda, vuol sapere di loro due. Sta quasi un'ora al telefono. Poi chiama i suoi compagni del gruppo. Infine sua moglie Kristine. Sto male, le dice, torno presto. Passano quattro
ore, Marie è già in coma. I medici diranno che se fosse stata
soccorsa subito si sarebbe salvata: così non c'è più niente da
fare. Due operazioni non servono. Non si sveglierà più. Arriva a Vilnius il padre, si ferma con lei un'ora in ospedale, le
parla al capezzale. Riparte. Due giorni dopo la famiglia decide di riportarla in Francia, dove muore.

Al processo, a Vilnius, Bertrand chiede scusa. Dice che le
ha solo dato uno schiaffo, non voleva ucciderla. Il suo grup-

po lo raggiunge, fanno un concerto per lui in carcere, escono le foto: le immagini non fanno una bella impressione in Francia dove la stampa, i siti internet, i fan, i politici e gli intellettuali dibattono di vittime e carnefici, di violenza oscura, di cultura machista sotto il manto della liberazione. Il giudice lo condanna a otto anni per omicidio preterintenzionale: l'ha uccisa ma non ne aveva l'intenzione. Sarà trasferito in Francia, otterrà la libertà condizionale dopo aver scontato la metà della pena – quattro anni – «per gli sforzi di reinserimento sociale e per le sue prospettive di reinserimento professionale». Quest'ultima metà della frase scatena le ire di chi non trova che avere una buona «prospettiva professionale» sia una buona ragione per non pagare le proprie colpe. Come se essere un cantante di successo fosse un'attenuante.

Escono libri, decine di libri. Uno è della madre di lei, Nadine Trintignant: chiama Cantat «il tuo assassino», lo descrive come violento e possessivo, cupo, ossessionato dalla gelosia. «Mi chiese se tu avessi amato i padri dei tuoi quattro figli. Gli risposi sarebbe triste se così non fosse. Quando l'hai saputo mi hai detto: mamma, non parlare mai più con lui del mio passato, mai più.» Dice che Cantat era ostile, sul set di Vilnius diceva: «Questo film, *Colette*, si fa contro di me». Marie era nervosa, triste, silenziosa. Un altro libro è del fratello di lui, Xavier Cantat. Si scaglia contro i giornali, difende Bertrand descrivendolo come un animo gentile, vittima del «clan Trintignant», debole nella sua fragilità. «Bertrand non ha mai voluto dominare Marie. E poi: come avrebbe potuto una donna che le femministe ci descrivono come libera, impegnata, capace di rivendicare alto e forte la sua indipendenza accettare una tale reclusione? Ridurre Marie al ruolo di vittima di uno spaventoso macho significa secondo me mancarle di rispetto.» Ecco, la prova è questa: come avrebbe potuto una come Marie accettare la violenza? È tutto qui l'enigma e la sua soluzione: può una donna libera accettare di essere prigioniera? Può capirlo chi non sa, chi non c'è, chi non lo vive? Può qualcuno che solo vede, sente e sa quello che traspare alla luce sapere davvero cosa succede nell'ombra dell'intimo segreto di una coppia? Non può, è ovvio. Dunque, certo che anche Marie poteva essere prigioniera: sì, poteva. Xavier Cantat porta le prove a discolpa del fratello. Cita Sebastien, compagno di Marie per un anno: «Per Marie tutto era estremo. Era capace di tessere attorno al suo uomo una tela di ragno». Cita un'intervista a «Libération» di suo padre Jean-Louis: «Sono affascinato dal suo lato mantide religiosa».

Dopo il funerale – attori celebri e presidenti, al rito, tutti vestiti di bianco – François, il padre di Paul, uno dei figli di Marie, spiega al bambino così quel che è successo a sua madre: «È la terribile storia di un uomo che ha voluto avere l'ultima parola. Tua madre ha difeso la sua. Lui ha avuto l'ultima, però».

Nulla serve a spiegare. Restano i fatti, solo quelli. Poniamo anche che fosse, come scrive Xavier Cantat, «una violenta disputa tra due adulti finita malissimo». Marie era alta un metro e sessantacinque, pesava quarantotto chili. Bertrand è alto un metro e novanta, pesa più di ottanta chili. Un match irregolare su qualunque ring. Marie è morta, i suoi quattro figli sono orfani. Il più piccolo, quella notte, aveva cinque anni. Bertrand è tornato a casa dalla sua ex moglie, dalle sue due figlie. Ha ricominciato a suonare e a cantare. In inverno, dicono le ultime notizie, uscirà il suo prossimo disco. Gli avvocati gli hanno solo raccomandato di non ispirarsi nei testi alla morte di Marie, di non farne parola. Solo questo. I Noir Désir sono pronti a rientrare in classifica. Desiderio nero.

Vedo la vita solo da un occhio, l'altro è di vetro
Se da questo unico occhio vedo molte cose ne vedo molte di più
                                                    [dall'altro
Perché l'occhio sano mi serve a vedere, quello cieco a sognare.

PARUIR SEVAK (1924-1971),
poeta armeno

Molly Sweeney è un testo teatrale di Brian Friel. In Italia lo hanno messo in scena Umberto Orsini e Valentina Sperlì, diretti da Andrea De Rosa.

La protagonista, cieca dal primo anno di vita, viene ricondotta alla vista dalla caparbietà ambiziosa del marito e dall'ambizione caparbia del medico a cui il marito si rivolge. Nessuno le chiede mai, davvero, se voglia tornare a vedere. È scontato, chi non vorrebbe vedere? Eppure, invece. Molly conosce tutti i fiori dall'odore e dalla forma, li annusa e li tocca come le ha insegnato a fare suo padre da bambina. La viola, il tulipano, la rosa canina. Conosce le persone con le mani, al buio, e così la vita. Quando torna a vedere non riconosce niente, è ovvio. Vede un tulipano e per sapere che è un tulipano ha bisogno di chiudere gli occhi e di toccarlo, deve tornare cieca. Vede un coltello e per sapere cosa sia deve chiudere gli occhi e sentirne la forma, il freddo, la lama. *La vista le toglie la sua identità. Perde ogni riferimento, vede e non sa cosa vede, perde il suo mondo fatto di forme e di odori, di suoni. Vale per tutti, in fondo: non sempre guarire migliora, non sempre essere guariti (da un'inerzia, da un'illusione, da una prudenza) è un dono. Molly non ha chiesto a nessuno di guarire, non voleva guarire. I suoi due uomini hanno fatto il suo bene: l'hanno fatto per lei, si dicono. Noi – gli spettatori – sappiamo che l'hanno fatto per sé. Molly impazzisce alla vista di un mondo non suo. Molly muore.*

XVI

Aghi

Luo Cuifen è una giovane donna di ventinove anni nata a Kunming, nel Sud della Cina. Un giorno, stanca di dirsi passerà, domani vedrai che passa, è andata dal medico. C'era sempre sangue nella pipì del mattino e a parte il dolore, a parte la sottile preoccupazione crescente, non aiuta svegliarsi e per prima cosa vedere il tuo sangue: sangue sempre, sangue ogni giorno. Il medico le ha detto: sarà una disfunzione renale, faccia una radiografia. Ecco, la radiografia del torace di Luo Cuifen è una di quelle foto che spiega il tempo in cui viviamo. L'hanno pubblicata molti giornali. Merita di essere ritagliata e di stare attaccata coi magneti al frigorifero. Nel torace di Luo ci sono ventitré aghi: alcuni sono lunghi anche due centimetri e mezzo. Nella radiografia sono sparsi sullo scheletro come bacchette di shangai, il gioco dei bimbi. Sembra un fotomontaggio e invece no. Aghi nei polmoni, nei reni, uno rotto in tre parti proprio sotto il cervello, aghi dappertutto. Luo non era mai stata operata in vita sua, non poteva trattarsi certo di un errore di un chirurgo né d'altra parte neppure il più distratto dei medici può scordare decine di aghi lungo un metro di corpo. E dunque? Dunque sono stati ventitré tentativi di ucciderla. Luo era stata affidata ai nonni, appena nata. La madre lavorava, i nonni non volevano bambine in casa – le femmine sono solo un costo nella Cina rurale, le devi crescere e mantenere per vent'anni, poi passano alla famiglia del marito, non portano indietro niente. Così hanno pensato di ucciderla con gli aghi. Forse non avevano cuore di soffocarla né di abbandonarla in un campo, forse pensavano che un killer invisibile li avrebbe sollevati almeno dal peso di essere presenti al momento della morte: sarebbe morta nel sonno, poi l'avrebbero sepolta. Ma Luo era una bambina robusta e il suo corpo con gli aghi ha trovato un accordo: ha resistito. Certo da adolescente e poi da ragazza non ha avuto vita facile. Soffriva di ansia, di depressione e di insonnia, hanno raccontato poi i medici che da tutto il mondo sono accorsi a operarla. Tanti però, tante giovani donne soffrono di ansia e di insonnia, non è necessario che gli aghi si vedano nelle radiografie, ci sono aghi invisibili che bucano il respiro e quel che bisogna fare è resistere. Come in quel bellissimo film tedesco, *Quattro minuti*, quello sulla carcerata assassina che suona il piano come un angelo e sulla sua vecchia maestra che le dice: ciascuno ha un talento, nella vita, e il compito di assecondarlo, per alcuni il talento da coltivare è quello di tenere duro, resistere. A operare Luo sono arrivati ventitré medici, uno per ago. Il neurologo dagli Stati Uniti, il cardiologo dal Canada. I nonni sono morti, non possono più dire com'è andata ammesso che da vivi avrebbero avuto cuore e coraggio per farlo. Magari si sono rallegrati, nel tempo, dell'incredibile tempra di Luo. Magari la nonna, è bello immaginarlo, l'ha festeggiata a ogni compleanno ringraziando il cielo per non averla ascoltata. Magari no, invece. La ragazza dice che non ha ricordi dei momenti in cui le infilavano gli aghi. Dice che solo una volta ha origliato una conversazione che le era risultata incomprensibile, si diceva sottovoce di qualcosa avvenuto quando aveva tre giorni di vita. Dev'essere successo quindi in un solo giorno, in un momento, in culla, come fosse una bambola di quelle che si bucano nei riti del malocchio. Mio padre ha trovato la foto del torace di Luo e l'articolo che ne parla in un giornale straniero durante un viaggio, lo ha tenuto stropicciato nel portafogli e lo ha tirato fuori ripiegato in quattro. Tieni, mi ha detto, guarda fin dove si può vincere. Vincere il destino, vincere l'ignoranza e la violenza, vincere un corpo nemico, vincere gli aghi che bucano anche quando non sai cos'è che ti fa sanguinare. Combattere, spingere la sorte più in là. Finché si può, credo che intendesse dire con quel foglio conservato come un amuleto, finché si può resistere si deve.

Milano, 20 luglio 2002. «Repubblica» online:

Un noto ristoratore, Ruggero Jucker, trentasei anni, rampollo della Milano bene è stato arrestato questa mattina all'alba con l'accusa di aver ucciso la fidanzata, Alenya Bortolotto, di ventisei anni, massacrata a coltellate. Il delitto è avvenuto a casa di Jucker, in via Corridoni 41, in pieno centro, a due passi dal palazzo di Giustizia. I carabinieri, chiamati dai vicini che avevano sentito delle grida attorno alle 4.30, hanno trovato l'uomo insanguinato all'interno dell'elegante condominio. Jucker, incensurato, si è consegnato agli agenti che nell'appartamento hanno scoperto il corpo della ragazza, colpito con ventidue coltellate. Anche la vittima apparteneva a una nota famiglia milanese: era originaria di Lecco, studiava e il pomeriggio lavorava come commessa in un noto negozio di articoli sportivi. Erano fidanzati da due anni e sebbene l'uomo non abbia ancora confessato sembra si sia trattato di un delitto passionale.

I vicini descrivono Ruggero Jucker come una persona irreprensibile, molto gentile. «Veniva sempre la mattina a prendere il caffè e a leggere i giornali» hanno detto i componenti della famiglia che gestisce il bar tabacchi accanto al portone della casa di Jucker. «Era venuto anche ieri mattina, da solo, aveva chiesto quando andavamo in vacanza. Ha detto che lui ci sarebbe andato all'inizio di agosto.»

Milano, agosto 2005.

Dopo la sentenza che gli ha quasi dimezzato la pena per l'omicidio della fidanzata, Ruggero Jucker incontra in carcere la madre. La donna dice: «Mio figlio è molto stanco, stanco delle cose non vere e cattive dette contro di lui e si chiede il motivo di tanto accanimento».

XVII

L'avvocato

Mi chiamo Tiziana Pomes, faccio l'avvocato da vent'anni. Lavoro in un quartiere borghese, a Roma. Le mie clienti sono soprattutto donne. Vengono da me principalmente per cause di divorzio. Divorziano in molti casi per storie di violenza. La violenza in famiglia è diffusa in un modo che non si può immaginare. Le mie stesse clienti, per la maggior parte, non ne parlano. Alludono, se proprio alle strette minimizzano. Se ne vergognano. Al principio quasi sempre la giustificano. In ogni caso la sopportano molto a lungo e in forme sempre più gravi. Anche dopo, anche quando le evidenze della violenza devono essere esibite come prove in tribunale, mi pregano di evitare ogni pubblicità. Non vogliono che si sappia. Sono pochissime quelle che riescono a farsi aiutare dalle loro famiglie o dagli amici. In genere sono sole con la loro storia: l'avvocato sì, all'avvocato prima o dopo si deve raccontare ma solo perché ci vanno di mezzo i figli, i beni, la possibilità di continuare a vivere con decenza. All'inizio, quando ho cominciato, la violenza psicologica e fisica degli uomini sulle donne – dentro il matrimonio – era cosa da poveri o da ricchi, molto poveri e molto ricchi, in genere. Nel proletariato era una delle articolazioni del degrado umano e della privazione. Nei ricchissimi una sopraffazione, per così dire, codificata. Era come se ci fosse stato una specie di contratto di nozze in cui l'uomo con molto denaro che «acquistava» la moglie, in specie se acquistandola la sollevava da una più bassa condizione sociale, comprasse anche il diritto di tradirla, di picchiarla, di umiliarla, di lasciarla sola con le sue carte di credito e poi la sera di prenderla a botte. Le donne erano state educate a sopportarlo: l'umiliazione domestica era il prezzo da pagare in cambio di un nuovo status sociale. Questo le madri e le famiglie avevano insegnato loro. Ricordo, tra moltissime, la storia di una coppia che viveva ai Parioli. Lui bello, ricco e di successo, Ferrari e segretarie, lei di buona famiglia ma non ricca, straniera. Avevano due figli maschi stupendi, adolescenti. Il marito la massacrava di botte davanti ai figli. Lei beveva per sopportare. I ragazzi si allearono col padre, lui del resto li assecondava in ogni più assurdo desiderio e li riempiva di denaro: un giorno fecero trovare alla madre una scritta con lo spray sulla parete del soggiorno. «Mamma vattene, i deboli soccombono i forti vincono.» Volevano che se ne andasse di casa, l'hanno ottenuto. Nessuno nelle loro famiglie è mai intervenuto: era un fatto privato.

Da qualche anno e adesso ormai in modo capillare la violenza non è più polarizzata nelle classi sociali estreme. È diffusa nella borghesia, fra i trentenni e quarantenni colti, autonomi, consapevoli. È violenza borghese. La subiscono donne giovani, cresciute e a volte nate all'indomani delle grandi battaglie per l'emancipazione e l'uguaglianza, donne che si suppone abbiano respirato tutta la vita un'aria di parità possibile, abbiano goduto degli stessi diritti dei loro compagni. Eppure. Il successo femminile nel lavoro è la prima causa di reazione maschile violenta e dopo, molto dopo e non sempre, di separazione. Quando il successo è estremo, quando la donna conquista condizioni di prestigio e di reddito superiori a quelle del marito, la crisi della coppia è così frequente da apparire inevitabile. Gli uomini reagiscono in genere con una forma depressiva che si manifesta in reazioni violente, una specie di rabbia per il fatto di non essere all'altezza. È come se volessero ristabilire dentro le mura domestiche una condizione di superiorità e di potere venuta meno all'esterno. Le donne, davvero molto spesso, sopportano la violenza come se si trattasse di una sorta di calmante. Avevo una cliente che mi diceva non è nulla, lo faccio sfogare così poi dopo sta tranquillo. Lo «faceva sfogare» anche sessualmente, si sottoponeva a umiliazioni che, mi pare, in qualche modo le sembravano dovute per risarcirlo del suo successo, della sua autonomia. Come se la violenza privata fosse il prezzo da pagare per la libertà pubblica. Come se ci fosse bisogno di riequilibrare un «ordine naturale delle cose» violato dalla donna che lavora, che guadagna, che progredisce nella carriera e non ha bisogno dell'uomo per vivere. La maggiore istruzione delle donne non ha fatto declinare la violenza subita, anzi. Quel che è diverso ora è la consapevolezza: ora le donne sanno quello che stanno facendo, capiscono molto bene le difficoltà dei loro compagni e arrivano a usare la loro sottomissione consapevolmente. Mettono a disposizione i loro corpi, anche per le offese, in cambio della libertà. È una strana illusione: lasciarsi picchiare non passivamente ma attivamente, nella pretesa che questo basti e serva a colmare le fragilità maschili. Ho avuto una cliente trentenne, figlia di una madre ancora giovane, molto bella, ricchissima e affermata nel lavoro. La figlia aveva avuto da adolescente un problema grave di anoressia. Curata, seguita. Si è sposata con un uomo rozzo e violento, un uomo con la pistola. Hanno avuto un figlio. Lui la picchiava con regolarità e costanza. Lei perdeva il lavoro, poi ne cominciava un altro. Lui la ricattava dicendo che avrebbe fatto del male al figlio: faceva cose pericolose col bambino. Lei lo assecondava. Mi diceva, al principio: so io quando basta, so che non è pericoloso, so cosa devo dargli in cambio della sua tranquillità. Pensava di poterlo controllare con una «dose modica» di violenza concessa. Era una ragazza molto intelligente, molto capace, con tutti i mezzi per affrancarsi. Ho sempre pensato che questa sua presunzione di potere sul compagno, una presunzione autolesionista, somigliasse molto alla sua anoressia giovanile: allora controllava il suo corpo, ora pensava di poter controllare l'altro cedendogli il suo corpo. Chissà. È una materia da psicologi questa ma sarebbe interessante avere più dati sulla relazione fra disturbi dell'alimentazione – così frequenti in persone intellettualmente molto dotate e prive di problemi economici radicali – e l'inclinazione a sopportare «attivamente» la violenza coniugale. Purtroppo non ci sono dati, nessuno raccoglie queste informazioni perché le informazioni non circolano: bisogna basarsi, per ora, sulla propria esperienza di lavoro, di osservazione, di vita.

Il punto di rottura, il momento in cui la violenza si scatena coincide spesso con la nascita dei figli. Le donne che lavorano, in quel momento, sono stanche. Si sentono inadeguate, non ce la fanno. Mutano gli equilibri all'interno della coppia, tempo e attenzione per il coniuge diventano rari e faticosi. È qui che riemerge un modello atavico: il marito insoddisfatto, a volte frustrato e privo del suo ruolo di garante della sopravvivenza del nucleo familiare, scatena la rabbia picchiando. In questi casi, se ci sono figli, l'affidamento condiviso – salutato come un grande successo sulla strada della parità – può essere invece un potente strumento di ricatto o addirittura un modo per replicare ed enfatizzare la violenza attraverso i bambini. Esiste una sindrome già ben nota agli psicologi e ai giudici, la sindrome da alienazione parentale: la persona violenta stringe alleanza coi figli ai danni della vittima, in genere la madre, indicandola come la responsabile di tutti i mali, inadatta e colpevole, denigrandola, irridendola. I bambini assorbono la violenza verbale e non hanno gli strumenti per elaborarla, dominarla: manifestano spesso nel corso del tempo disturbi di relazione, di identità sessuale, di rapporto con l'altro sesso. Le madri, quando vedono questo accadere, capita che «lascino correre», che sopportino «per il bene dei figli». Per non dar loro altri problemi, per evitare traumi, per assorbire e contenere il danno già inferto dall'altro. Anche in questo caso si tratta di una forma di presunzione: quella di capire le ragioni della violenza e prevederne le conseguenze, addirittura. Di immaginare di poter sopportare la sopraffazione, di governarla a fin di bene. Come se la madre – la donna – anche quando è la vittima dei colpi del più forte restasse in realtà la regista della sua e delle altrui esistenze. C'è sempre un limite, per fortuna. Di solito è la paura. Quella vera, la paura di morire o di veder morire i figli. Tante, tantissime sono le donne laureate, di buon reddito e di bei modi che arrivano qui e mi dicono, per prima cosa: questa volta ho avuto davvero paura.

Niscemi, Caltanissetta. 16 maggio 2008. Agenzia Ansa:

CONFESSA E POI CHIEDE: «POSSO ANDARE A CASA?»
Dopo aver confessato il delitto di Lorena Cultraro, quattordicenne uccisa e poi gettata in una vasca di irrigazione, uno dei tre assassini ha detto: «Signor giudice, le ho confessato tutto. Ora posso andare a casa?». L'interrogatorio è avvenuto nella locale caserma dei carabinieri. Il magistrato del Tribunale dei minori gli ha risposto: «Lo capisci che hai confessato un omicidio? Dove vuoi andare?». Il gip ha confermato il fermo dei tre minorenni che hanno ammesso di aver ucciso la ragazzina trovata morta in un pozzo martedì scorso nelle campagne di Niscemi dopo che era scomparsa il 30 aprile. Nessuno dei tre giovani, tutti minorenni, potrà essere condannato all'ergastolo. La pena massima prevista dal codice è di trent'anni, con la possibilità di una riduzione di pena fino a un terzo. L'esame autoptico disposto dalla Procura dei minori di Catania ha accertato che la ragazzina sarebbe stata massacrata di botte, presa a calci e pugni, e poi strangolata con un cavo di antenna. Il corpo è pieno di lividi e il volto è tumefatto. Il padre della vittima, Giuseppe Cultraro, in sede di riconoscimento, l'aveva potuta riconoscere, come lui stesso ha spiegato, solo per le meches ai capelli che si era fatta da poco. Lorena Cultraro era incinta.

XVIII

Disuguali

Disuguale, in molte lingue, non significa semplicemente «diverso». C'è una sfumatura di senso assai difficile da rendere in italiano: potremmo dire «diversamente uguale» se non facesse subito pensare all'ipocrisia del linguaggio politicamente corretto, quello che vuole tutti diversamente abili, diversamente sensibili, diversamente attenti. Disuguale significa uguale ma diverso, differente ma pari: una parità distinta. Non di meno, non di più. Lo stesso eppure un altro.

Il cervello delle donne è disuguale da quello degli uomini. Radicalmente disuguale. La scienza ha fatto tali progressi per cui oggi si sa con certezza quale zona conti quanto, quando si attivi e perché. La massa cerebrale si pesa con strumenti sofisticati e si misura coi numeri. Da vivi, e non dunque facendo a fette il cervello dei cadaveri come si usava fino a non molto tempo fa. Oggi si prende un gruppo di persone, maschi e femmine, gli si mette in testa un certo apparecchio e si vede che succede: succedono cose diverse, funzionano in modo diverso. Viene da usare un linguaggio elementare, certe rivelazioni, per chi non sia del ramo, lasciano sbalorditi.

Una neuropsichiatra californiana, Louann Brizendine, ha

pubblicato un testo divulgativo, ora tradotto anche in Italia, intitolato *Il cervello delle donne*. Non pretendo di riassumerlo qui. Vorrei solo proporre alcuni temi che ho trascritto per essere sicura di aver capito bene. Brizendine ha studiato e lavorato a Berkeley, Yale, Harvard, ora all'Università di California. Dirige uno dei massimi centri di ricerca sullo studio degli ormoni. È una persona affidabile, intendo. Nel saggio spiega con la massima cura e dovizia di dettagli che le differenze fra il cervello degli uomini e quello delle donne sono «complesse e diffuse» e sono pressappoco queste, abbiano pazienza gli esperti per la cattiva sintesi: nei centri cerebrali del linguaggio e dell'ascolto le donne possiedono l'11 per cento di neuroni in più degli uomini. L'ippocampo, principale centro di controllo delle emozioni e di formazione dei ricordi, è più sviluppato nel cervello femminile, così come l'insieme dei circuiti del linguaggio e dell'osservazione delle emozioni altrui: è questa la ragione per cui in media le donne sono più abili nell'esprimere le emozioni e nel ricordare i dettagli degli eventi che le suscitano. D'altra parte negli uomini lo spazio cerebrale preposto all'impulso sessuale è due volte e mezzo più grande e i centri destinati all'aggressività sono più ampi. In media il cervello maschile è attraversato da pensieri sessuali molte volte al giorno, quello di una donna una sola volta. L'85 per cento degli uomini fra i venti e i trent'anni pensa in qualche forma al sesso ogni cinquantadue secondi. Le donne della stessa età una sola volta in ventiquattro ore con picchi di tre-quattro volte nei giorni fertili. Uno studio ha esaminato come il cervello di uomini e donne reagisca alla vista di una coppia che parla. Negli uomini si accende l'area sessuale: lo considerano un potenziale preliminare di un amplesso. Nelle donne la stessa area non si attiva: lo considerano una conversazione. Dopo aver spiegato a una scolaresca di quindicenni le differenze cerebrali è stato chiesto loro, durante una lezione, di formularsi domande che avrebbero voluto farsi a vicenda. Alcuni ragazzi hanno domandato: perché le femmine vanno sempre al bagno insieme? Pensavano che il motivo fosse di natura sessuale. Alcune ragazze hanno risposto che il bagno è l'unico luogo della scuola dove possono parlare senza essere osservate e ascoltate, in tranquillità. Ancora. Gli uomini hanno terminali più grandi nell'amigdala, l'area più primitiva del cervello, quella che scatena la paura e l'aggressività. Le neonate femmine cercano lo sguardo dell'adulto (della madre) con maggior precocità e frequenza dei maschi: si attivano in loro più rapidamente i «neuroni specchio», quelli del rispecchiamento – del riconoscimento – nell'altro. Di conseguenza le donne sono più abili a leggere le espressioni del volto, a interpretare i toni di voce, a valutare le sfumature emotive delle situazioni. Con la risonanza magnetica è stata misurata la capacità di sentire il dolore altrui: le donne sottoposte a piccole scosse elettriche alle mani venivano poi informate dello stesso trattamento effettuato ai loro compagni. Pur non subendo la scossa si accendeva in loro, nel cervello, l'area del dolore: la compassione, la condivisione del dolore. I ricercatori non sono stati in grado di ottenere lo stesso risultato a parti invertite: negli uomini non c'era nessuna risposta cerebrale per il dolore altrui. Il linguaggio. Le bambine iniziano a parlare prima, intorno ai venti mesi possiedono un vocabolario due o tre volte superiore a quello dei maschi coetanei che alla fine ne eguagliano la ricchezza lessicale ma non la velocità. Anche nelle scimmie Rhesus le femmine utilizzano diciassette toni vocali per comunicare, i maschi tre.

Nel cervello femminile sono più sviluppate le aree cognitive, emozionali e verbali. In quello maschile le aree preposte all'azione fisica. Il cervello maschile coglie segnali di tristezza sul volto altrui nel 40 per cento dei casi, il cervello femminile nel 90. L'uomo, in quasi la totalità dei casi, si accorge del mutamento di umore in corso nell'altro solo all'evidente vista delle lacrime. Le donne, probabilmente per questo, piangono fino a quattro volte più facilmente. In qualche modo devono pur farglielo capire.

L'aneddotica scientifica è sterminata e varia, si sofferma sui mutamenti del funzionamento del cervello secondo la fase ormonale, parla a lungo del cervello materno e della sua temporanea assoluta metamorfosi: una condizione di accettazione – accettazione che significa non sentire il dolore, la stanchezza, intuire i bisogni, assecondarli: quella delle madri in presenza del neonato – non paragonabile a nessun altro stato mentale in nessun altro momento. Quasi in nessun altro, diciamo. Può riattivarsi in presenza di neonati con barba e baffi e dar luogo alla più classica delle relazioni adulte vittima-carnefice, quelle di mutuo bisogno tra chi accudisce e chi è accudito, chi sopporta e chi è sopportato. Fino alle estreme conseguenze. C'è un capitolo dedicato alla struttura mentale dei serial killer in uno studio dello psicanalista inglese Christopher Bollas, *Cracking up. Il lavoro dell'inconscio*. Il capitolo s'intitola *La struttura del male*. Parte descrivendo alcuni serial killer della storia criminale americana. Uno è Bundy. «Bundy ogni tanto si ingessava un braccio dando di sé l'immagine di una persona in stato di bisogno.» Faceva appello alla «fiducia di base» fra esseri umani: quella del bambino verso i genitori che si prendono cura di lui, la naturale risposta della madre verso il bambino. Lo stato di bisogno – del carnefice che si finge indifeso, della vittima che accetta inconsapevole la sua offerta – attiva una condizione primitiva: quella del mutuo soccorso fra essere umani, appunto, tipica e massima nella relazione con il neonato. Infantile. Rapimento in inglese si dice *kidnapping*, *kid* significa bambino: le parole nascono da qualche parte, hanno sensi che strada facendo si perdono. La vittima è sempre come un bambino, torna bambina. Il carnefice per adescare la vittima seduce con le armi di un'ingenua promessa. C'è qualcosa che funziona sul registro del disuguale cervello femminile ogni volta che una sopraffazione maschile è in atto. Qualcosa che si attiva e qualcosa che si acceca, invece. Come se ci fosse bisogno di credere, ogni volta daccapo, che la verità ultima risiede in quel primo sguardo sul mondo, quello sul volto dell'altro. Il rispecchiarsi dei favolosi «neuroni specchio»: vedersi, riconoscersi, capire senza bisogno di parole e oltre i gesti. La fiducia, l'aiuto. La promessa non ancora tradita. Come se ci fosse bisogno di tornare lì, quando tutto doveva ancora succedere e non era così buio e sbagliato come è stato dopo, come è adesso.

Uno dei due, *da* Mariti *di Ángeles Mastretta:*

Lucia guardò suo marito che sonnecchiava in poltrona. Ogni tanto si svegliava, la guardava e sorrideva come da un altro mondo. Una delle volte in cui lui sollevò le ciglia, lei gli disse con estrema dolcezza: «Sai? Quando uno dei due muore io me ne andrò in Italia».

XIX

Il programma segreto

Il segreto della *rateta*, la topolina dell'antica fiaba che tra mille pretendenti sceglie il gatto e si fa mangiare da lui, è al centro della narrazione del saggio di una psicanalista venezuelana intitolato *Mujeres malqueridas*, storie di donne impegnate in relazioni «distruttive e senza futuro». Mariela Michelena è nata a Caracas, ha cinquantatré anni, ha studiato e lavorato a lungo a Houston, Usa, vive oggi a Madrid. Dalla sua esperienza clinica sono nati numerosi libri di successo: quest'ultimo un autentico bestseller. Intervistata per la controcopertina della «Vanguardia» dice, nella sintesi giornalistica: «La topolina sceglie il gatto perché è l'unico che sicuramente la mangerà. Sceglie quello che soddisfa un programma segreto che ha a che fare con la storia infantile occulta. Io avevo una paziente che in realtà, attraverso le sue storie d'amore, la persona che voleva davvero conquistare era una nonna durissima che l'aveva cresciuta senza mai prestarle nessuna attenzione».

Senza entrare nei meandri della psicanalisi, ci possiamo tuttavia permettere di fermarci sul tema del «programma segreto». Michelena lo fa con prosa semplice, passaggi lineari. Proviamo a seguirla. Si domanda, al principio, come mai tante donne disinvolte, intelligenti, autonome ed emancipate accettino di subire maltrattamenti gravi e gravissimi spesso molto a lungo. Perché si aspettino che il loro personale aguzzino cambi quando è evidente che non cambierà. Perché quando si liberano di uno ne cerchino un altro esattamente uguale al precedente. Perché, insomma, risulti conveniente per queste donne una situazione tanto dolorosa dalla quale potrebbero, solo volendolo, liberarsi con relativa facilità. Simone de Beauvoir faceva discendere una certa passività femminile, la capacità di subire, dalla situazione di svantaggio economico culturale e sociale in cui le donne – negli anni in cui scriveva, e spesso ancora oggi – si trovavano e si trovano. Non è questo il nostro caso, però. Qui stiamo parlando di donne cresciute durante o dopo le battaglie per l'emancipazione, donne che possono contare su uno stipendio proprio, su una cultura solida, che hanno un loro posto nel mondo e non vivono all'ombra di alcuno: occupano spesso posti anche di responsabilità nella politica, negli affari, nei commerci e tuttavia sopportano in privato una soggezione che non subiscono in pubblico. L'argomento della subordinazione economica e sociale dunque da solo non basta a spiegare. Il problema non è solo fuori da sé ma dentro. Almeno: anche dentro. Ci dev'essere un programma segreto, appunto. Un'«agenda occulta» che ha radici lontane nel tempo e che sfugge alla logica e alla coscienza vigile.

Rileggiamo la favola della *Rateta*. La topolina compra un fiocco per essere più attraente – al fiocco si può sostituire evidentemente un naso nuovo o un *pushup*. Dopo di che passa alla ricerca del candidato idoneo. A tutti fa domande, compresa quella cruciale: cosa farai la notte? Informazione utile a una previsione di vita sessuale soddisfacente. Infine sceglie il gatto. In che momento del processo di selezione la topolina si sbaglia? O meglio: davvero si sbaglia? Ha fatto un casting laborioso, è vero, ma a nessuno ha posto la questione giusta. Se sei un piccolo roditore, suscettibile di essere mangiato la domanda giusta è: tu di solito cosa mangi? Ma nessuno dei piccoli e grandi lettori di questa fiaba rimprovera alla topina di aver sbagliato domanda perché è ovvio, dalla storia, che lei avrebbe scelto il gatto comunque. Gli amici glielo dicono: ti mangerà. Lei risponde: no, non lo farà. Il gatto, in effetti, non è per lei il peggiore dei candidati: è il migliore. È l'unico che possa ricoprire il ruolo che la topolina, nella sua presunzione, gli assegna. Vediamo.

Michelena racconta di una sua paziente che, abbandonata dal padre a sette anni, continuava a intrecciare relazioni con uomini deludenti e inaffidabili. Provava a farli restare. Diceva di volere una relazione duratura (l'obiettivo esplicito: vorrei un uomo che restasse con me), sceglieva però solo quelli che di certo se ne sarebbero andati (l'agenda segreta: i candidati migliori ad attuare il suo piano inconsapevole, replicare il fallimento). Per la topolina sembra che la cosa importante non sia sposarsi con un marito quieto e buono ma averne uno irrequieto e cattivo, invece, per dimostrare di essere diversa, forte, speciale. Un cane, un gallo, un asino qualsiasi non le avrebbero permesso di mettere alla prova i suoi superpoteri. Il gatto era l'unico che poteva darle modo di dimostrare il suo straordinario valore e la sua enorme capacità di sacrificio. La possiamo facilmente immaginare mentre dice: non ti preoccupare, gatto, io ti aiuterò. Con me le cose saranno diverse. Ti insegnerò ad avere fiducia nelle topoline, ad amarle. Sarò sempre qui. Ti amerò tanto e così bene che non potrai farmi male. Vedrai. E poi se anche mi farai male io lo sopporterò e aspetterò perché lo so che in fondo tu sei un gatto straordinario. Non sarà oggi né domani ma verrà un giorno in cui mi amerai e non desidererai più divorarmi. Qualcosa come, detto a un uomo: con me smetterai di bere, di drogarti, di avere paura delle donne e di picchiarmi, di sentirti insicuro e di offendermi. Con me un giorno, se io sarò forte e paziente tu sarai migliore. È questa la vanità che dà il titolo al racconto: la topolina presume di essere capace di domare il gatto. Ha un'idea grandiosa di sé. Un «sé» grandioso. Il suo casting è stato impeccabile, in effetti: ha scelto l'unico che potesse permetterle di esibirlo.

Del resto da sempre nella storia c'è una grande confusione di ruoli tra vittime e carnefici, tra schiavi e padroni. Non è mai perfettamente chiaro chi dipenda da chi fra il maggiordomo perfetto e il suo signore. Non è affatto sicuro che tra un gioco e la pila che lo fa funzionare il pezzo principale sia il gioco: senza pila resta buttato in un angolo come a Natale le magnifiche confezioni con la minuscola scritta «batterie non incluse». Senza il prezioso oggetto servile il mega robot non si muove. Quel che fa la differenza, certo, è la sproporzione di forze effettiva: tra vittima e carnefice uno soccombe e a volte muore, l'altro sopravvive. Questa è la parola finale della storia, quella che mette in chiaro una volta per sempre chi sia – agli atti – il colpevole.

Tuttavia, senza giustificare nemmeno per un istante chi alza la voce e le mani, chi picchia, chi insulta, chi umilia, chi alimenta l'altrui debolezza, restano da capire fino in fondo le ragioni di chi si lascia umiliare. L'agenda segreta, e non solo quella individuale. Cosa ci sia in questo tempo per le donne che le rende così vulnerabili all'idea di dover sopportare in privato una sopraffazione inaccettabile in pubblico. Vergognosa, infatti. Non se ne parla mai, non si dice. Un pegno segreto da pagare, forse, in cambio di una non ancora tollerata libertà. Una redistribuzione di forze. La topina muore, comunque. Il gatto la divora. La sua idea di essere più paziente, più forte, più lungimirante del carnefice era sbagliata. Non l'avrebbe cambiato grazie alle sue grandiose qualità. I gatti mangiano i topi e basta. Se fosse fuggita al primo e ne avesse cercato un altro l'avrebbe mangiata il secondo, o il terzo, o il quarto. Se fosse stata così veloce da sfuggire a tutti sarebbe invecchiata spaventata e sfinita, probabilmente sola. I gatti mangiano i topi ed è inutile provare a cucinar loro carciofi. La più grande prova di forza è affrancarsene, liberarsi di loro, imparare a evitarli, lasciarli soli. Questo sì è uno straordinario successo: non dover dimostrare più niente, non mettersi alla prova. Non affezionarsi all'errore, inoltre. Non difendere la cattiva scelta. La sapienza delle fiabe lo sa. La tradizione dei «consigli utili» tramandati da generazioni lo dice: se fai lo sbaglio di comprare qualcosa che non ti sta bene non c'è ragione di commettere un secondo sbaglio, indossarlo. Non si indossano uomini che ci fanno stare peggio. Non ci si mette addosso qualcosa, qualcuno che ci sciupa. Sappiatelo, bambine, e ora andate sole.

B., che ha cinque anni, dice che questo libro dovrebbe intitolarsi «Io lo so che non sono solo anche quando sono solo». Capisco bene perché. Non è possibile, certo, però ha ragione lui: il tema in fondo è sempre questo.

A te che ci hai lasciati soli ma noi non siamo soli.

Arnoldo Mondadori Editore S.p.A.

Questo volume è stato stampato
presso Mondadori Printing S.p.A.
Stabilimento Nuova Stampa Mondadori - Cles (TN)

Stampato in Italia - Printed in Italy